D0108004

LE POUVOIR DE CRÉER SA VIE

Catalogage avant publication de Bibliothèque et Archives Canada

Boucher, Sylvie

Le pouvoir de créer sa vie

(Collection Psychologie)

ISBN 2-7640-0829-5

1. Réalisation de soi. 2. Choix (Psychologie). 3. Contrôle (Psychologie). I. Titre. II. Collection: Collection Psychologie (Éditions Quebecor).

BF637.S4B684 2005 158.1 C2005-940354-3

LES ÉDITIONS QUEBECOR
Une division de Éditions Quebecor Média inc.
7, chemin Bates
Outremont (Québec)
H2V 4V7
Tél.: (514) 270-1746
www.quebecoreditions.com

© 2005, Les Éditions Quebecor
Bibliothèque et Archives Canada

Éditeur: Jacques Simard
Conception de la couverture: Bernard Langlois
Illustration de la couverture: Andrew Judd/Masterfile
Révision: Hélène Bard
Correction d'épreuves: Jocelyne Cormier
Infographie: Andréa Joseph [PageXpress]

Nous reconnaissons l'aide financière du gouvernement du Canada par l'entremise du Programme d'Aide au Développement de l'Industrie de l'Édition pour nos activités d'édition.

Gouvernement du Québec – Programme de crédit d'impôt pour l'édition de livres – Gestion SODEC.

Tous droits réservés. Aucune partie de ce livre ne peut être reproduite ou transmise sous aucune forme ou par quelque moyen technique ou mécanique que ce soit, par photocopie, par enregistrement ou par quelque forme d'entreposage d'information ou système de recouvrement, sans la permission écrite de l'éditeur.

Imprimé au Canada

SYLVIE BOUCHER

LE POUVOIR DE CRÉER SA VIE

Remerciements

La publication d'un livre est l'étape ultime d'un long parcours. Et tout au long de celui-ci, j'ai rencontré des gens qui ont eu la générosité de partager avec moi des événements de leur vie. Je remercie donc tous les clients et toutes les clientes qui m'ont donné le privilège de les accompagner durant leur parcours : ce fut une démarche mutuellement enrichissante.

Le succès est une affaire d'équipe. Merci aux professeurs et aux étudiants de l'École Coaching de Gestion : chacun, à sa façon, m'a offert le meilleur de lui-même et j'en bénéficie encore aujourd'hui. Je remercie particulièrement les coaches qui m'ont accompagnée durant ces derniers mois : elles m'ont aidée à atteindre mes objectifs, plus rapidement et plus efficacement que si j'avais été seule. Merci à Diane et à Claude.

Je remercie aussi Yves, Monique et Jasmine, des amis présents dans ma vie depuis très longtemps, et qui me sont fidèles, même lorsque je suis moins disponible (ce qui est souvent le cas lorsque l'on écrit un livre). Je les remercie, ainsi que Daniel, d'avoir été les premiers lecteurs de ce bouquin et d'en avoir enrichi le contenu par leurs commentaires constructifs.

Je remercie tout spécialement ma fille, Vanessa, qui a toujours cru en mes capacités de mener à bien ce projet et qui m'a beaucoup aidée, en ce qui concerne les tâches ménagères, afin que j'aie le temps d'écrire. De la part d'une adolescente, c'est tout un cadeau ! Merci, ma belle grande, et j'espère que tu utiliseras ton pouvoir pour te créer la plus merveilleuse des vies !

Merci à chacun et chacune de vous, et voici le résultat de nos efforts collectifs.

Introduction

La recherche du bonheur est une quête très populaire : qui d'entre vous ne souhaite pas être heureux ? Seulement, ce n'est pas toujours facile d'être heureux ! Pour certains, c'est même, parfois, très difficile.

Il n'y a pas de méthode garantie pour être heureux (et ne croyez pas ceux qui vous le promettent !). Il existe cependant des outils très utiles afin d'y arriver. Même si les gens heureux n'ont pas d'histoire, ils ont quand même des façons de faire et d'être qui les aident beaucoup.

Depuis une vingtaine d'années, je m'intéresse particulièrement à la croissance personnelle, à la réalisation de soi, au développement du potentiel humain, à la spiritualité, bref, à tout ce qui peut aider l'être humain à être heureux. Au cours des 18 dernières années, j'ai travaillé à titre de psychothérapeute, de psychologue et de coach professionnel avec des milliers de personnes qui cherchaient à améliorer leur vie. Et j'ai beaucoup appris d'eux. J'ai aussi beaucoup lu, tant des livres populaires que des livres écrits par des professionnels, des chercheurs et de grands penseurs. En effet, la science s'intéresse de plus en plus au bonheur, aux gens heureux et aux gagnants.

Vous avez probablement lu certains livres de développement personnel, mais vous ne pouvez pas les lire tous. Et vous avez peut-être même essayé certaines des méthodes proposées (avec plus ou moins de succès, sinon vous ne seriez pas en train de lire ce livre). Ces ouvrages sont utiles, mais ils ont leurs limites. Souvent, il peut s'agir d'une approche théorique, spécifique à l'auteur ou d'une méthode particulière qui peut ne pas vous convenir. Un seul livre n'est donc pas suffisant. Mais lorsqu'on en lit plusieurs, il devient parfois difficile de s'y retrouver.

C'est pourquoi j'ai rédigé cet ouvrage. Il regroupe une synthèse des principaux éléments qui me semblent essentiels pour parvenir à se créer une vie intéressante. C'est à partir de mes recherches théoriques, de mes lectures, de mon expérience clinique et personnelle que j'ai identifié ces éléments qui pourront vous aider à vous questionner, à réfléchir et à trouver, à l'intérieur de vous, la façon de vous épanouir. Parce que vous seul avez le *pouvoir de créer votre vie*.

Puisqu'il s'agit d'une synthèse, il m'est impossible d'approfondir chacun des concepts présentés dans ce livre. Il s'agit d'un choix délibéré : je souhaitais regrouper les principaux éléments permettant de se créer une vie équilibrée et enrichissante, en mettant en lumière les points communs des différentes méthodes, nonobstant l'approche théorique. Cela vous permettra de cerner ce dont vous avez particulièrement besoin à cette étape de votre cheminement. Et vous pourrez choisir les bouquins qui vous permettront d'approfondir votre démarche. Bref, vous allez économiser des années de lecture !

Vous pouvez utiliser ce livre de différentes façons. Vous pouvez le lire du début à la fin, en prenant le temps d'assimiler les concepts présentés et de faire les exercices suggérés. Aussi pouvez-vous commencer par les chapitres de la première partie, notamment par ceux qui vous intéressent particulièrement, et lire les autres ensuite. Vous pouvez également commencer directement par la deuxième partie, celle qui présente la démarche stratégique pour obtenir des résultats concrets qui amélioreront sensiblement votre vie. Mais lisez les chapitres de la deuxième partie dans l'ordre, sinon la méthode ne fonctionne pas. Quoi que vous choisissiez, soyez conscient que ce livre a pour but de susciter votre réflexion et de vous motiver à passer à l'action. Je vous propose donc de vous accompagner dans votre démarche vers une vie riche et satisfaisante.

La vie est comme un jardin. Chaque fois que vous voyez un beau potager, rappelez-vous qu'il y a quelqu'un qui y a rêvé, qui a réfléchi à son aménagement et qui a ensuite retroussé ses manches pour l'entretenir. Votre vie est un jardin dont vous êtes le jardinier : si vous ne vous en occupez pas, les mauvaises herbes s'y installeront et vous ne pourrez pas en profiter pleinement. Mais si vous choisissez d'être le bon jardinier que vous pouvez être, vous aurez le plaisir et la fierté de vous promener dans un magnifique jardin.

Première partie

Les concepts

Chapitre 1
Le jeu de la vie

Si vous êtes en train de lire ce livre, c'est que vous avez envie d'être heureux et que vous êtes prêt à agir pour vous approcher du bonheur. Bravo ! Vivre une vie riche et satisfaisante est un voyage passionnant. Et où voulez-vous aller ? Avez-vous envie de laisser le hasard et les autres décider totalement de votre destination, avec tous les inconvénients que cela peut comporter ? Tous ceux qui voyagent commencent par déterminer leur destination. Je vous suggère donc de commencer à réfléchir à la vôtre.

La vie est comme une partie de cartes. Pourquoi ? Parce que personne ne choisit ses cartes au début de la partie, chacun apprend à se débrouiller avec celles qu'il reçoit[1]. Et

1. Certaines personnes croient en la réincarnation et au pouvoir de l'humain de choisir les conditions de sa nouvelle vie. Tout en respectant cette croyance, je vous rappelle simplement que l'être réincarné doit composer avec les conditions de sa naissance, qu'il les ait choisies ou non, et que ces conditions seront différentes de celles de son voisin.

les gens ne reçoivent pas tous les mêmes cartes à la naissance. Nous n'avons pas tous la même hérédité, la même santé, les mêmes talents, nous n'avons pas tous grandi au sein d'une famille aimante et équilibrée, etc. Il s'agit là d'une réalité incontestable. Il est possible d'identifier les différents types de joueurs en fonction des commentaires qu'ils font au sujet des cartes qu'ils reçoivent. Certains vont sourire et apprécier les bonnes cartes, sans être contrariés par les mauvaises ; d'autres vont présenter un visage impassible, d'autres encore seront perplexes, se questionnant sur la meilleure façon de jouer leurs cartes. Certains vont se plaindre d'injustice. Lesquels de ces joueurs prendront le plus de plaisir à jouer aux cartes ? Et avec quels joueurs aimeriez-vous le plus jouer ? Sûrement pas avec ceux qui se plaignent constamment, n'est-ce pas ? Bien sûr, tout le monde préfère recevoir de bonnes cartes. Mais le jeu n'est pas fait comme cela. Les cartes sont distribuées au hasard et chacun des joueurs en recevra de bonnes et de moins bonnes.

Et vous, quelle sorte de joueur êtes-vous ? Un joueur qui s'amuse, peu importent les cartes qu'il reçoit ? Ou un joueur qui ne voit que les mauvaises et s'en plaint constamment ? Il est normal d'être contrarié ou déçu lorsqu'on reçoit certaines mauvaises cartes. Cependant, le joueur qui accepte de recevoir de bonnes et de mauvaises cartes durant la partie sera beaucoup moins contrarié (ou malheureux) lorsqu'il les recevra. Il ne ressentira pas d'injustice parce qu'il sait que cela fait partie du jeu et il l'accepte. La façon dont un joueur interprète les cartes qu'il reçoit joue un rôle primordial dans le plaisir qu'il éprouvera tout au long de la partie. Chacun interprète la réalité en fonction de ses croyances. Certains vont croire que la vie est une école et qu'il y a quelque chose à apprendre de cela. D'autres vont croire qu'ils ont choisi cette réincarnation afin d'évoluer spirituellement. D'autres encore vont se dire tout simplement que la vie est comme ça et qu'il faut passer au travers. D'autres attendent une vie meilleure après celle-ci. Je ne suis pas ici pour vous imposer mes croyances personnelles. Vous êtes libre de choisir les vôtres. Mais n'oubliez jamais que les croyances ont un impact majeur sur ce que vous ressentez. Choisissez-les en fonction de la sorte de joueur que vous voulez être et du plaisir que vous voulez éprouver tout au long de la partie. Choisissez des croyances qui vont vous aider à accepter les bonnes et les mauvaises cartes, sans gâcher le plaisir de jouer. Il sera d'ailleurs question de l'importance des croyances au chapitre 4.

Il existe un deuxième point commun entre la vie et une partie de cartes : dans les deux cas, il est préférable de bien comprendre le but et les règles du jeu si l'on espère s'amuser et gagner. Pour certains, l'apprentissage se passe plutôt bien, durant l'enfance, au sein de la famille. Pour d'autres, malheureusement, les règles ne sont pas ou sont mal enseignées et ils doivent réapprendre complètement à jouer. Et quand on n'a pas compris les règles du jeu, les leçons de vie peuvent être dures et souffrantes. La bonne nouvelle, c'est qu'il n'est jamais trop tard pour apprendre. Quelles sont les règles du jeu et où les apprendre ? Encore une fois, les réponses varient en fonction de vos croyances. Il y a des milliers de livres qui expliquent les lois de l'Univers, les règles de vie, comment réussir, comment être heureux, etc. Choisissez ce qui vous semble avoir du sens et qui vous fait du bien. Il existe un critère qui peut vous guider dans votre choix : observez les lois de la nature.

Elles expriment en général une sagesse qui s'applique à la flore, à la faune et à tout ce qui est vivant. Par conséquent, elles s'appliquent aussi aux humains. Et l'une de ces règles me semble particulièrement importante : la loi de cause à effet. On peut la résumer ainsi : on récolte ce que l'on sème. Si vous semez des graines de carottes dans votre potager, il y a de très fortes probabilités que vous puissiez récolter des carottes. Mais ne vous attendez pas à y récolter des courges. Il y a toujours des conséquences, bonnes et mauvaises, à toute action. Il ne s'agit pas d'y voir un effet de la chance ou une intervention divine, c'est simplement une question de logique naturelle. La vie est ainsi faite. Bien sûr, d'autres lois régissent l'Univers. Dans l'ensemble, je pense que, malgré un vocabulaire différent, les philosophies se complètent, et parfois, finissent par se rejoindre. J'ai choisi de vous présenter certaines de ces règles ou lois au chapitre 5. Il s'agit d'une synthèse très personnelle des éléments qui m'apparaissent les plus concrets, les plus fiables, les plus pratiques aussi, et qui ont été souvent observés chez l'être humain et rapportés par plusieurs auteurs et par des gens qui semblent avoir atteint une certaine sagesse. Faites votre propre ensemble de règles. L'important est que vous choisissiez ce qui a le plus de sens pour vous. Fiez-vous à votre intuition et expérimentez. Si cela vous fait du bien, parfait. Sinon, changez.

La troisième caractéristique commune entre la vie et le jeu de cartes, c'est qu'on ne peut pas gagner à tous les coups. Et cela, même si l'on a de bonnes cartes et qu'on sait jouer. Pourquoi ? Parce que vous ne jouez pas seul et que les autres joueurs influencent le déroulement de la partie. Dans certains cas, les autres gagneront ; dans certains cas, ils vous aideront à gagner. Cela varie en fonction du type de jeu auquel vous jouez ainsi que de la bonne volonté et des habiletés de chacun. Cela s'applique aussi dans les différentes circonstances de vie. Dans votre relation de couple, vous faites probablement équipe avec votre partenaire pour développer une relation amoureuse satisfaisante. Lorsque vous postulez un emploi, les autres candidats tenteront eux aussi d'obtenir le poste. Il est clair que tous les candidats ne pourront gagner. Et c'est un autre joueur, l'employeur, qui va décider de la façon dont se terminera cette manche. De plus, il y a des facteurs incontrôlables dans le jeu. C'est ce qu'on appelle le hasard. Et personne n'a encore pu trouver de méthode pour le contrôler. Certains croient qu'il n'y a pas de hasard dans la vie. Il s'agit là d'une croyance que je respecte et à laquelle j'adhère. Cependant, il faut bien constater qu'il se produit souvent, dans la vie, des événements sur lesquels ni vous ni moi n'avons de contrôle et dont nous ne pouvons expliquer l'origine. Quelle que soit la façon dont vous choisissez d'expliquer ces événements, il n'en demeure pas moins qu'ils se produisent et que chacun doit apprendre à composer avec ceux-ci. Puisque vous ne pouvez pas obtenir de garantie que vous allez gagner, vous pouvez refuser de jouer. Ce serait dommage, parce que vous vous priveriez alors du simple plaisir de participer. Ou vous pouvez décider de jouer sans respecter les règles. Vous risquez alors de vous faire éliminer du jeu. Il est fort probable que les autres ne souhaitent pas jouer avec vous si vous trichez. Vous pouvez aussi choisir d'apprendre les règles du jeu, de jouer du mieux possible en acceptant le résultat, quel qu'il soit. Et là, vous aurez plus de chances d'avoir du plaisir.

Car le plus important est d'avoir du plaisir à jouer tout au long de la partie, que vous gagniez ou non. C'est ça, être heureux, finalement. Et là, nous abordons un point essentiel : la différence entre réussir dans la vie et réussir sa vie. Dans les sociétés nord-américaines et européennes, réussir dans la vie signifie : avoir un certain mode de vie, un certain revenu qui se manifeste par des biens matériels, un certain prestige, une relation de couple d'une certaine durée, des enfants qui réussissent bien à l'école, une certaine culture, etc. Mais est-ce que la réussite dans la vie est suffisante pour être heureux ? Non. Nous connaissons tous des gens « qui ont tout pour être heureux » et qui ne le sont pas. Et des gens qui semblent matériellement démunis peuvent être heureux si leurs besoins essentiels sont comblés. Le secret du bonheur n'est donc pas de réussir dans la vie.

Reprenons l'exemple du jeu de cartes : chaque fois que vous réussissez dans la vie, c'est comme si vous gagniez une manche. Tous les joueurs veulent gagner des manches et déploient tous leurs efforts pour atteindre ce but. Gagner procure un plaisir intense et très agréable. Et lorsqu'un joueur gagne souvent, il s'amuse beaucoup. C'est donc une bonne idée d'apprendre à jouer le mieux possible afin d'augmenter ses chances de gagner.

Il est cependant impossible de gagner toutes les manches. Alors, que faites-vous lorsque vous perdez une manche ? Votre façon d'interpréter la situation détermine ce que vous ressentez. Si vous considérez que la perte d'une manche est un échec inacceptable qui remet en cause vos compétences et votre valeur personnelle, vous serez très malheureux. Alors qu'il est possible de considérer cette situation comme une belle occasion d'apprendre et d'enrichir votre futur. Une telle interprétation vous permet de rester serein et de continuer à vous amuser. Il est important de comprendre que ce qui rend très souvent les gens malheureux n'est pas la réalité en soi, mais bien leur interprétation de la réalité. Lorsque la réalité n'est pas à leur goût, certaines personnes la perçoivent comme inacceptable et tentent de la combattre ou de la nier. Cette méthode ne fait qu'amplifier leur souffrance. La vie est parfois suffisamment difficile sans qu'il soit nécessaire d'y ajouter une torture supplémentaire. Alors qu'il est possible de choisir une interprétation de la réalité qui soit apaisante et même enrichissante. Une attitude intérieure qui vous permet de profiter pleinement des bonnes situations (les manches que vous gagnez) et de minimiser l'impact des situations difficiles (les manches que vous perdez) multiplie incroyablement vos probabilités d'être heureux. Alors, que choisissez-vous ?

Tout au long de cet exemple très simple, j'ai mentionné à plusieurs reprises que vous pouviez faire des choix. Premièrement, vous pouvez choisir la façon dont vous allez interpréter les cartes reçues à la naissance. Deuxièmement, vous pouvez choisir d'apprendre ou non les règles du jeu et même la façon dont vous allez les apprendre. Troisièmement, vous pouvez choisir comment vous interpréterez le fait que vous ne gagnez pas à tous les coups. Et, ultimement, vous pouvez choisir de jouer ou non, et d'avoir du plaisir ou non.

Le plus grand pouvoir que vous avez sur cette terre est le pouvoir de faire des choix. Personne ne peut contrôler les événements. Qui peut se vanter de contrôler le climat ou la Bourse ? Et il serait préférable de ne pas tenter de contrôler les autres. Vous pouvez cependant faire des choix qui auront un impact majeur sur votre vie. Parfois, il n'est même pas possible de contrôler les conséquences de vos choix personnels. Ainsi, vous pouvez choisir d'avoir un enfant, mais vous ne pourrez pas contrôler toutes les conséquences de ce choix-là... Cependant, il est toujours possible de choisir comment vous allez interpréter les conséquences de vos choix. Et même si vous ne choisissez pas, cela constitue un choix. Vous choisissez alors de remettre votre décision entre les mains de quelqu'un d'autre : votre conjoint, vos enfants, votre patron ou le hasard... Personnellement, c'est un choix que je ne recommande pas. Je ne connais pas beaucoup de gens qui vont au restaurant et qui disent à la serveuse : « Choisissez ce que je vais manger et choisissez aussi le type de cuisson. Ensuite, vous choisirez si je veux un dessert ou non. Et apportez-moi la facture. » Parce qu'il va y avoir une facture, ne l'oubliez pas. Allez-vous donc laisser les autres choisir votre vie alors que c'est vous qui allez payer la facture ?

Certaines personnes refusent de choisir, sous prétexte qu'il n'est pas possible de contrôler tout ce qui survient au cours d'une vie. Il s'agit là d'une fausse excuse. Bien sûr, il est impossible de tout contrôler dans la vie ! Qui oserait prétendre le contraire ? C'est pourquoi je préfère parler de gestion de sa vie. Si vous tentez de contrôler votre vie, c'est-à-dire d'en prévoir les moindres détails, vous serez rapidement dépassé et frustré par les inévitables imprévus qui vont survenir. La gestion implique que vous fassiez des choix pour donner une direction à votre vie et que vous tentiez de tirer le meilleur parti des imprévus qui vont survenir.

Un être humain heureux est une personne qui est en harmonie avec elle-même, avec les autres et avec la vie. C'est une personne qui vit en fonction de ses principes et de ses valeurs, de ses goûts, bref, qui accepte et respecte ce qu'elle est. Et pour atteindre cet état d'harmonie, la personne doit faire des choix de vie qui comblent ses besoins et qui correspondent à ce qu'elle est profondément.

Quels sont les besoins d'un être humain ? Un être humain est un *animal social complexe*. Par conséquent, il a une variété de besoins que l'on peut regrouper en différentes catégories, comme l'illustre la figure 1.1.

Cette typologie des besoins humains s'inspire de la pyramide hiérarchique des besoins de Maslow. Il est important qu'une personne comble ses besoins. Dans une société comme la nôtre, la plupart des besoins primaires sont relativement comblés. Il semblerait que c'est à partir du niveau 3 (besoins d'affection et d'appartenance) que les gens ont parfois des manques et éprouvent de la frustration. Cette typologie des besoins a le mérite de vous permettre de comprendre pourquoi certaines personnes sont malheureuses alors qu'elles semblent avoir tout. Je ne crois pas que tous les besoins doivent être comblés pour

Figure 1.1 *Typologie des besoins humains*[2]

ANIMAL (mammifère terrestre moyennement doué)	SOCIAL (incapable de survivre seul sur la planète)	COMPLEXE (qui a un ego exigeant et la capacité de se torturer)
1. Besoins physiologiques : Manger Boire Se réchauffer Dormir Éviter la douleur Se reproduire 2. Besoins de sécurité : Protection contre l'environnement Sécurité à l'égard des crimes Sécurité à l'égard des difficultés financières	3. Besoins d'affection et d'appartenance : Besoins d'affection Besoins d'approbation – par la famille – par les amis – par la communauté 4. Besoins d'estime : Réussite Compétence Approbation Reconnaissance Prestige et statut	5. Besoins d'actualisation (accomplissement de votre potentiel unique) : Compréhension cognitive – Nouveauté, exploration – Connaissance Besoins esthétiques – Musique, arts, beauté, ordre - - - - - - - - Besoins psychologiques : Équilibre Identité Besoins spirituels : Donner un sens à sa vie

qu'une personne soit heureuse. Je pense qu'il s'agit principalement d'une question d'interprétation de la réalité, ainsi que d'un principe d'équilibre : si la plupart des types de besoins sont raisonnablement comblés, la personne a une qualité de vie suffisante pour être heureuse. Par contre, si certains types de besoins ne sont pas comblés ou même

2. Typologie inspirée de la pyramide hiérarchique des besoins de Maslow.

carrément négligés, tôt ou tard il y aura un déséquilibre qui perturbera la vie de la personne. Cela devient alors plus difficile d'être heureux car l'être humain a besoin d'équilibre.

Les individus peuvent choisir différentes solutions pour combler leurs besoins. Par exemple, tous les êtres humains ont besoin de se protéger des éléments de la nature, mais cela peut prendre la forme d'une grotte, d'une tente, d'un appartement, d'une maison ou d'un château. Souvent, la solution choisie comble plusieurs besoins. Ainsi, j'ai besoin d'un toit (besoin physique), suffisamment solide et bien fermé pour éviter les voleurs (besoins de sécurité), et plus gros que celui du voisin (besoin de prestige). Mais je me demande si ça va vraiment donner un sens à ma vie (besoins spirituels). Et puis, il faut que je garde des sous pour les imprévus et ma retraite (besoin de sécurité financière), et pour éviter que mon conjoint soit fâché (besoin d'approbation). Et je voudrais bien retourner aux études (besoin d'actualisation). Hum ! Quel dilemme ! Il y a beaucoup d'options possibles, n'est-ce pas ? La vie est comme un buffet : une variété infinie d'occasions de satisfaire vos besoins. Il n'y a qu'à se lever et à aller chercher ce qui vous plaît. Chacun a la possibilité de faire le meilleur choix pour lui, en fonction de ses goûts personnels. Il s'agit là d'un pouvoir absolument merveilleux ! Par contre, je crois que celui qui refuse de choisir n'a pas le droit de se plaindre ou de culpabiliser son entourage. Chacun a le pouvoir de choisir et il faut exercer ce pouvoir.

Responsabilité et pouvoir de créer

Dans la vie, chacun a le pouvoir de faire des choix. Il s'agit d'une possibilité offerte à tout être humain. C'est aussi une responsabilité. Les parents enseignent à leurs enfants à devenir autonomes et responsables. Adulte, vous êtes responsable des choix que vous faites (ou ne faites pas) dans votre vie. Vous n'êtes peut-être pas responsable des cartes que vous avez reçues à la naissance, mais lorsque le jeu est commencé, vous devenez responsable de la façon dont vous gérez ces cartes. Il ne faudrait pas refiler toute la responsabilité à celui qui les a brassées...

Il est important de comprendre que la vie que vous vivez est le résultat des choix que vous avez faits. C'est l'application d'une règle simple et implacable de l'Univers : la loi de cause à effet. Tous les choix que vous faites (ou ne faites pas) dans votre vie ont des conséquences à plus ou moins long terme.

Vous êtes entièrement responsable des choix que vous faites. Lorsque vous êtes adulte, les autres ne prennent plus de décisions pour vous. Vous avez la responsabilité totale de votre vie. Et le fait d'assumer totalement cette responsabilité vous donne en contrepartie un immense pouvoir : le pouvoir de prendre les décisions qui vont vous permettre de vous créer la vie que vous souhaitez vivre. Beaucoup de gens ne comprennent pas vraiment comment la loi de cause à effet s'applique dans leur vie. Ils ne réalisent pas qu'ils ont le pouvoir de faire des choix ou refusent d'en assumer la responsabilité. Avec une telle attitude, ils se privent du pouvoir de choisir la vie qu'ils veulent mener.

Assumer la responsabilité de sa vie, c'est reconnaître la possibilité de faire des choix et se donner l'immense *pouvoir de créer sa vie.*

Assumer la responsabilité de sa vie donne le pouvoir de créer sa vie. Il est cependant important d'avoir une vision réaliste de cette responsabilité. Quoique vous soyez le seul qui puisse faire des choix dans votre vie, les résultats, eux, peuvent être influencés par d'autres facteurs. Reprenons l'exemple du jeu de cartes. Vous n'êtes pas le seul joueur et il y a des facteurs incontrôlables dans le jeu. Vous pouvez choisir comment vous allez jouer vos cartes. Vous pouvez vous faire un plan de match, que vous devrez constamment réajuster en fonction du déroulement du jeu. C'est le même principe dans la vie. Vous avez la responsabilité de faire des choix dans toutes les circonstances de votre vie, mais vous devez reconnaître que les conséquences de vos choix ne sont pas sous votre contrôle exclusif. Le déroulement de votre vie dépend en grande partie des choix que vous faites et aussi des facteurs qui ne sont pas sous votre contrôle. Votre responsabilité est donc totale et limitée. Malgré ces limites, il est important d'assumer votre part de responsabilité personnelle, sinon vous remettez votre vie entre les mains de tout le monde et des hasards de la vie. Pour certains, ce peut être une lourde et inutile responsabilité; rappelez-vous qu'il s'agit aussi d'une responsabilité qui est porteuse de liberté. Vous pouvez choisir ce que vous voulez. Le résultat n'est pas garanti à 100 %, mais si vous ne choisissez pas, vous avez encore moins de chance d'obtenir ce que vous voulez. Alors que le fait d'assumer la responsabilité de votre vie multiplie incroyablement vos probabilités de vous créer une vie à votre goût.

Certaines personnes confondent *responsabilité* et *culpabilité*. Vous êtes responsable de votre vie, pas coupable. Être responsable, c'est reconnaître le lien de cause à effet qui existe entre les circonstances actuelles de votre vie et les choix que vous avez faits auparavant. Vos conditions de vie actuelles sont la conséquence des choix que vous avez faits et de l'influence des autres facteurs. Il est important de reconnaître ce lien de cause à effet et d'assumer votre part de responsabilité sans jugement. La responsabilité est un concept qui décrit le lien entre l'auteur d'un événement et les conséquences qui en découlent et n'est pas lié à des valeurs morales. La culpabilité est directement liée à des valeurs morales. Elle n'a sa place que si vous faites volontairement du mal aux autres ou que vous contrevenez à des valeurs morales. Certaines personnes se sentent facilement coupables ; dans certains cas, je pense qu'il s'agit d'un sentiment de responsabilité démesuré et déphasé : ces personnes se croient responsables de tout et ne reconnaissent pas la part de responsabilité de leur entourage. Paradoxalement, elles ont parfois de la difficulté à assumer pleinement la responsabilité de leur vie : elles se sentent obligées de répondre aux attentes de leur entourage et n'ont pas l'impression qu'elles peuvent faire des choix personnels. Elles ont peur de déplaire aux autres. Si c'est votre cas, voici un conseil : démissionnez de votre poste de président-directeur général de l'Univers et acceptez plutôt celui de gestionnaire principal de votre vie personnelle. C'est moins flamboyant, mais beaucoup plus enrichissant !

Assumer la responsabilité totale et limitée de votre vie vous donne le pouvoir de faire des choix. Si vous reconnaissez votre part de responsabilité dans les circonstances présentes de votre vie, vous vous donnez le pouvoir de faire des choix qui modifieront les conditions futures de votre vie.

Comment faire les meilleurs choix pour soi ?

La vie est un buffet richement garni qui vous offre une infinité d'options. Chacun peut choisir parmi une multitude de possibilités. Et bien entendu, chacun veut faire de bons choix. Qu'est-ce qui détermine si un choix est bon ou non ? C'est en évaluant les conséquences que l'on peut déterminer s'il s'agit d'un bon ou d'un mauvais choix. Des conséquences désagréables ou pénibles peuvent indiquer qu'une personne n'a pas fait un bon choix. Des conséquences positives et agréables peuvent indiquer que la personne a fait le bon choix. L'évaluation des conséquences est tout de même un critère limité : il arrive parfois que ce qui semblait un bon choix à court terme se révèle un mauvais choix à long terme. L'inverse est aussi vrai : un choix qui semblait mauvais à première vue peut amener à long terme des conséquences heureuses. Par définition, les conséquences se produisent après avoir fait un choix. Il n'est pas toujours facile de prévoir les conséquences. Alors, comment peut-on faire pour augmenter ses probabilités de faire un bon choix ?

Dans bien des cas, il peut être utile de se fier à l'expérience : la vôtre ou celle des autres. C'est une méthode intéressante et plutôt efficace lorsque deux conditions sont remplies. La première condition : comprendre que l'Univers est régi par la loi de cause à effet. Si une personne ne comprend pas que les circonstances actuelles de sa vie sont le résultat de ses actions antérieures, si elle pense que c'est le hasard ou une intervention divine qui a provoqué sa situation, elle n'en cherchera pas les causes. Elle va simplement espérer que le hasard soit plus clément la prochaine fois. Une personne qui comprend la loi de cause à effet va se questionner sur les causes de sa situation et identifier les choix et les actions qui ont déterminé ses conditions de vie actuelles. Et c'est là la deuxième condition à remplir pour bénéficier de l'expérience. Une personne qui assume sa part de responsabilité dans sa vie prendra le temps de réfléchir à sa situation, d'en observer les circonstances actuelles et de s'interroger sur les causes probables. En devenant consciente de ses choix antérieurs, elle comprend ce qui s'est passé et acquiert de l'expérience. Se basant sur cette expérience, elle peut maintenant choisir : elle refera les mêmes choix si elle veut obtenir les mêmes résultats ou, au contraire, fera des choix différents si elle veut obtenir des résultats différents. Ainsi, en comprenant la loi de cause à effet qui régit l'Univers, en assumant sa part de responsabilité dans les circonstances de sa vie et en devenant consciente des choix qu'elle fait, une personne peut utiliser son expérience (ou celle des autres) pour faire de meilleurs choix dans sa vie.

Dans une situation nouvelle, l'expérience est d'une utilité limitée. De plus, chaque personne est différente et ce qui est bon pour une personne ne l'est pas nécessairement pour une autre. Dans ces circonstances, comment faire un bon choix ? Certains livres recommandent de dresser la liste des avantages et des inconvénients d'un choix possible (les « pour » et les « contre »). C'est un exercice intellectuel utile et pratique pour évaluer les différentes options possibles. Cependant, pour faire un bon choix, je recommande de *mettre la tête au service du cœur*. Lorsque vient le temps de prendre une décision, chacun doit bien sûr évaluer objectivement les éléments qui rentrent en ligne de compte. Et surtout, chacun doit prendre en compte ses valeurs, ses principes et ses goûts. Une personne qui fait des choix en accord avec ses valeurs et ses goûts est en harmonie avec elle-même et est plus sereine et heureuse. Lorsqu'une personne vit une situation contraire à ses valeurs profondes, elle est malheureuse, son énergie baisse et elle peut même devenir malade. Mon expérience clinique m'a démontré qu'un être humain ne peut pas aller à l'encontre de lui-même très longtemps sans en payer le prix fort. Et j'ai vu aussi des « guérisons » extraordinaires lorsque la personne avait le courage de faire un choix en accord avec ses valeurs profondes. Les valeurs, principes et goûts ont une composante émotive importante. Les émotions sont puissantes : elles sont souvent la principale source de motivation d'une personne et génèrent une énergie incroyable qui pousse à l'action. Comparez l'énergie que vous avez quand vous faites quelque chose que vous aimez à celle que vous avez quand vous faites quelque chose que vous n'aimez pas. Et tout le plaisir que vous en retirez ! Le plaisir est essentiel à l'être humain. Et le plaisir est émotif. Il est donc important de tenir compte des composantes émotives au moment de faire un choix afin de s'assurer de faire un bon choix.

Doit-on se fier uniquement aux émotions au moment du choix ? Non. Une décision impulsive n'est pas toujours bonne et peut même être dangereuse. C'est pour cela qu'il faut *mettre la tête au service du cœur*. Cela signifie écouter la voix de son cœur et se servir de sa tête pour comprendre le langage émotif transmis par le cœur. Les émotions sont un signal qui indique que la personne réagit, positivement ou négativement, à une situation donnée. Et les réactions émotives sont souvent amplifiées par les expériences passées de la personne. Les émotions sont comme un détecteur d'incendie. Quand l'alarme se déclenche, cela signifie : « Attention, il y a un problème. » L'alarme ne précise pas la nature ou l'ampleur du problème ni l'action qui doit être entreprise. L'alarme se déclenche, qu'il s'agisse de rôties brûlées ou d'un incendie réel. Avant d'appeler les pompiers, la personne doit donc rapidement analyser la situation. Ainsi, lorsqu'une émotion se manifeste, la personne doit comprendre ce qui a déclenché cette émotion et choisir ensuite la façon dont elle souhaite y réagir. C'est la réflexion qui va permettre à une personne d'identifier le problème et d'en évaluer l'ampleur réelle au moment présent. Donc, pour augmenter vos chances de faire un bon choix, il est important de tenir compte du message transmis par vos émotions, d'évaluer les éléments objectifs de la situation et de faire un choix qui respecte vos valeurs profondes et personnelles.

Et qu'en est-il de l'intuition ? On distingue deux sortes d'intuitions. D'abord, l'intuition cognitive, c'est-à-dire « l'intelligence qui fait de l'excès de vitesse ». Ce type d'intuition est en fait le résultat du traitement des informations déjà emmagasinées dans le cerveau. Ce traitement de l'information se fait à une vitesse si grande que la personne n'en a pas conscience. Elle perçoit la réponse sans réaliser qu'elle y a réfléchi. Une personne qui a emmagasiné beaucoup d'informations et d'expériences a souvent ce type d'intuition et peut s'y fier dans beaucoup de circonstances.

Il existe une autre forme d'intuition, plus difficile à expliquer. Il s'agit de cette voix intérieure qui proviendrait du moi supérieur (aussi appelé moi profond, vrai moi, part divine de l'être humain, âme ou inspiration de l'esprit, etc.). Personnellement, je crois que l'intuition provient d'une zone que j'appelle l'Essence (la nature profonde de la personne) et que celle-ci contient toute la sagesse dont un être humain a besoin. Je fais confiance à la voix intérieure de l'Essence. Je pense que l'Essence détient la majorité des réponses à nos questions et que tout choix inspiré par celle-ci me semble bon. Cependant, il est parfois difficile d'entendre la voix de l'Essence et surtout de ne pas la confondre avec la voix des émotions. Pour distinguer la voix des émotions de l'intuition de l'Essence, vous pouvez vous fier à ce que vous ressentez : si vous ressentez de la sérénité, il est très probable que votre voix intérieure provient de l'Essence. Si, au contraire, vous vous sentez perturbé, émotif, anxieux, alors ce sont vos émotions qui s'expriment. La méditation, surtout pratiquée régulièrement, peut vous aider à entrer en contact avec votre Essence. Bien entendu, vous n'êtes pas obligé d'adhérer à cette croyance. Vous constaterez cependant que la pratique de la méditation vous permet de vous détendre et de prendre des décisions plus sereinement et que cela s'avère bénéfique pour vous, quelles que soient vos croyances spirituelles. Il en est ainsi de tous les outils et concepts que je vous présente dans ce livre : vous n'avez pas besoin d'adhérer à un système particulier de croyances, ces concepts et outils sont reconnus pour leur efficacité.

L'important est de prendre conscience que vous avez le pouvoir de choisir votre vie. Vous avez la responsabilité totale et limitée de choisir ce que vous allez faire pour vous créer une vie à votre goût. Et lorsque vous n'avez pas le contrôle sur les événements, vous avez encore le pouvoir de décider quelle sera votre attitude face à ces événements. Et cette attitude peut augmenter vos probabilités d'avoir du plaisir, quelles que soient les circonstances de votre vie (que vous gagniez ou non une manche). En faisant des choix qui correspondent à ce que vous êtes vraiment, qui comblent vos besoins tout en respectant vos goûts, vos principes et vos valeurs, vous augmentez drôlement vos chances d'être heureux.

Car je présume que vous souhaitez être heureux. Mais qu'est-ce que le bonheur ? Ce qui vous rend heureux ne correspond peut-être pas à ce qui rend votre voisin heureux. Et ma pratique clinique m'a permis de constater que certaines personnes ne sont pas heureuses parce qu'elles n'ont pas une conception réaliste du bonheur. Il est donc important de définir le bonheur afin de savoir comment l'atteindre. Alors, qu'est-ce que le bonheur ?

Bonheur et réussite

Les gens disent : « Je » suis heureux et non pas « J'ai le bonheur ». Le bonheur est un état, une sensation interne. Il est donc possible de tirer une première conclusion : le bonheur n'est pas à l'extérieur de vous, mais à l'intérieur. Votre bonheur ne dépend pas de l'extérieur, mais de ce qui se passe à l'intérieur de vous. Prenons maintenant le temps de bien définir cet état. Le mot bonheur a pour certains une connotation d'absolu, qu'il est bien difficile d'atteindre sur cette terre, sauf lors de trop brefs moments. J'ai déjà eu un client qui croyait que, lorsqu'il serait heureux, il aurait un sourire en permanence accroché au visage tellement il se sentirait constamment bien. Mon très vieux Larousse définit le bonheur comme un état de parfaite satisfaction intérieure et offre des synonymes tels que béatitude et ravissement. La recherche de la perfection (dans quelque domaine que ce soit) mène rarement au bonheur, bien au contraire ! Et il serait utopique d'essayer d'être béat un lundi matin de pluie, coincé dans la circulation ! *Le Robert junior* définit le bonheur comme l'état dans lequel on se trouve quand on est tout à fait content. Être content est déjà beaucoup plus facile, vous ne trouvez pas ? C'est en tout cas l'opinion de Jean-Louis Servan-Schreiber[3]. Et cela peut se produire n'importe quand, après n'importe quel événement agréable. Le plaisir de danser combiné à celui d'enlever ses souliers à la fin de la soirée ! Quel bonheur !

3. Jean-Louis SERVAN-SCHREIBER. *Vivre content*, Paris, Albin Michel, 2002.

Il est donc plus facile d'essayer d'être content que d'essayer d'être heureux. En fait, le bonheur est l'état interne que l'on ressent et exprime en faisant référence à la globalité de sa vie ou d'une certaine période de sa vie. Vous vous sentez heureux lorsque vous vivez une suite de moments de contentement. Par exemple, les moments passés en famille sont souvent source de contentement pour les gens.

Mais qu'est-ce qui vous amène à ressentir du bonheur ? Le bonheur est un état de bien-être que vous ressentez en fonction de l'évaluation que vous faites de votre vie globale ou d'une certaine période. Et l'évaluation de votre vie est basée sur une équation très simple, souvent inconsciente, qui compile les bons et les mauvais événements de votre vie.

Bons événements (BÉ) + Mauvais événements (MÉ) = votre vie

Si les BÉ sont plus nombreuses que les MÉ, il y a de bonnes chances que vous soyez plus souvent content que mécontent. Par conséquent, vous évaluerez cette période de votre vie comme étant une période heureuse. Si les MÉ sont plus nombreuses que les BÉ, vous serez souvent mécontent et ne vous sentirez pas heureux.

Seulement, dans la vie il arrive toujours quelque chose. Qu'est-ce qui détermine si cet événement est bon ou mauvais ? Votre opinion, votre perception. L'évaluation de la réalité est très subjective. Il y a des événements qui sont évalués par la majorité des gens comme étant difficiles tels qu'un accident d'auto avec blessés, un enfant gravement malade, une séparation, etc. On s'entend tous pour dire qu'il s'agit d'épreuves. Malgré cela, votre perception et votre interprétation de ces événements et de leurs conséquences sont subjectives. Lors d'un événement très difficile, vous pouvez vous dire qu'il n'y a qu'à vous que ces choses arrivent, que votre vie est finie et que vous ne serez plus jamais heureux... Ou vous pouvez essayer, malgré la souffrance, d'y trouver du positif. Parfois, il n'est pas possible d'y arriver tout de suite, il faut prendre le temps d'absorber le choc. Par la suite, vous pouvez réévaluer la situation et en tirer une interprétation différente. J'ai travaillé avec de nombreux clients en arrêt de travail pour dépression. Au début, ces gens souffraient et percevaient leur situation comme étant l'une des pires de leur vie. Leur perception a cependant évolué et ils ont réalisé que leur arrêt de travail leur a permis de se questionner et d'améliorer leur vie. Ces gens considèrent maintenant leur maladie comme une chance que la vie leur a donnée. Et vous, comment évaluez-vous les grands événements de votre vie ?

Heureusement, les grandes épreuves ne surviennent pas tous les jours. Mais il est tout aussi important de porter attention à la façon dont vous évaluez les événements quotidiens. Après tout, la vie est faite de mille et un petits événements. Quand il fait soleil, est-ce que vous trouvez qu'il fait trop chaud ? Est-ce que vous pensez à la pluie qui risque de ruiner vos projets ? Ou êtes-vous capable de profiter du merveilleux soleil et de ses bienfaits ? Il est important de bien connaître votre façon d'évaluer les événements : une vision positive est un élément essentiel du bonheur.

Les recherches démontrent en effet que les gens optimistes et qui ont une bonne estime de soi sont plus heureux que les pessimistes. Chacun peut donc essayer de développer une attitude optimiste, une vision plus positive de la réalité en respectant les étapes suivantes.

La 1re étape consiste à vous observer afin de prendre conscience de vos pensées, de vos croyances et de leur impact sur vous. C'est une étape très importante car vous ne pouvez pas changer ce que vous ne connaissez pas. Pensez au mécanicien qui doit réparer votre voiture : s'il ne sait pas quelle pièce est brisée, comment pourra-t-il la remplacer ?

La 2e étape est d'identifier les pensées et croyances qui sont néfastes pour vous et de les confronter sérieusement à la réalité.

La 3e étape consiste à remplacer vos croyances par des pensées plus réalistes et plus bénéfiques pour vous. Nous reparlerons plus en profondeur des croyances au chapitre 4. Mais commencez tout de suite à vous écouter parler. Vos croyances et pensées inconscientes se dévoilent dans les métaphores que vous utilisez. « La vie est un combat » n'exprime pas la même perception interne que « La vie est un cadeau ».

Changer ses pensées, son attitude, son interprétation de la réalité peut être plus ou moins facile en fonction de la charge émotive qui y est rattachée. Les gens trouvent cela difficile et certains doivent consulter. Il arrive qu'ils aient envie d'abandonner devant les efforts à faire. Je leur rappelle que ce n'est pas vraiment plus facile de vivre malheureux. Puisqu'il faut faire certains efforts, mieux vaut les faire en direction d'un résultat positif, n'est-ce pas ? Et certains de ces efforts peuvent être simples : pour ne plus voir la rugosité de l'écorce d'un arbre, il suffit de reculer et de regarder la forêt.

Prendre du recul et avoir une vision d'ensemble de sa vie favorise le développement d'une attitude positive. Si vous évaluez les événements un à un et que vous réagissez à chacun comme s'il était unique, vous allez passer par des hauts et des bas émotionnels continuels. Les montagnes russes, c'est amusant, mais seulement lorsqu'on décide d'y faire un tour. Si vous vivez ainsi, votre système nerveux en sera éprouvé. Lorsqu'un événement se produit, il focalise l'attention. Cependant, chacun peut gérer son attention et choisir de la diriger vers ce qui est bon pour lui. Autrement dit, si vous vous concentrez sur les événements positifs de votre vie plutôt que sur les événements négatifs, si vous leur accordez plus de poids, vous faites pencher la balance en faveur du bonheur. Si vous vous concentrez plutôt sur les événements négatifs, vous vous dirigez vers l'absence de bonheur et même vers la souffrance. Il est donc important de toujours garder à l'esprit les bonnes choses de votre vie, surtout quand se produit un événement difficile.

Vous n'avez pas de contrôle sur certains événements de votre vie, mais vous en avez sur votre perception, votre interprétation de ces événements. Vous avez du pouvoir sur le classement (dans l'équation) et le poids que vous accordez aux événements de votre vie. Par conséquent, vous avez du pouvoir sur le résultat de l'équation. Deuxième conclusion : vous avez également du pouvoir sur le fait d'être heureux ou non. Le bonheur n'est pas quelque chose qui tombe du ciel. Ce n'est pas un droit acquis de naissance, ni quelque chose que vous pouvez acheter dans un magasin à grande surface. Ce n'est pas non plus une question de chance. Le bonheur est un état de bien-être interne que l'être humain a la possibilité de développer. Pour être heureux, vous devez prendre la décision de le devenir.

Résumé

Dans ce chapitre, je compare la vie à une partie de cartes, dont le but est d'avoir du plaisir ; ce qui vous amène à réfléchir à la distinction entre réussir dans la vie et réussir votre vie.

L'être humain a le pouvoir de faire des choix, ce qui lui confère le merveilleux pouvoir de créer sa vie.

Il s'agit là d'un immense pouvoir qui s'accompagne de la responsabilité totale et limitée de faire les meilleurs choix possibles afin de satisfaire ses besoins et de se créer une vie à son goût.

Tout en étant conscient qu'il y a des événements sur lesquels il n'a pas de contrôle, l'être humain peut tout de même augmenter ses possibilités d'être heureux en modifiant ses perceptions et ses attitudes devant les événements de sa vie.

Une personne heureuse pratique l'art de vivre le moment présent, sans se torturer avec les souvenirs du passé et les appréhensions au sujet du futur. Alors, je vous offre ce texte d'un auteur anonyme qui m'a fait l'effet d'un cadeau lorsque je l'ai trouvé :

Aujourd'hui est la plus importante journée de ta vie,
Puisque hier ne t'appartient déjà plus
Et que demain n'est encore qu'une illusion.

Alors, rappelle-toi bien ceci :

Si aujourd'hui est bien vécu,
Chaque hier se transformera en heureux souvenir
Et chaque demain en une vision remplie d'espoir.

Chapitre 2

Confiance et estime de soi : une base solide

La confiance en soi et l'estime de soi sont des ingrédients importants qui influencent le bien-être d'une personne. Il s'agit aussi de deux facteurs qui augmentent les chances de réussite et de bonheur.

Pour distinguer la confiance et l'estime, prenons l'exemple suivant. Votre voisin est plombier et vous savez qu'il jouit d'une excellente réputation professionnelle. Vous savez aussi qu'il boit trop, trompe sa femme et bat ses enfants. Un beau dimanche matin, vous avez un sérieux dégât d'eau et avez besoin d'un plombier compétent en ce jour de congé. Votre voisin vous offre ses services. Vous allez peut-être accepter, car vous lui faites confiance sur le plan professionnel. Mais il est probable que vous ne souhaitiez pas l'inviter à dîner parce que vous n'appréciez pas sa façon d'agir envers sa famille. Il est possible que ses comportements aillent à l'encontre de vos valeurs et vous n'aurez alors pas d'estime pour votre voisin. Il est donc possible d'avoir confiance en quelqu'un dans une situation particulière sans avoir d'estime pour cette personne. Le même phénomène peut se produire dans la relation avec soi-même: une personne peut connaître ses habiletés et savoir qu'elle est capable de se débrouiller dans une situation, mais elle peut quand même ne pas avoir d'estime envers elle-même. Elle peut considérer que ses habiletés n'ont pas de valeur, que ses caractéristiques personnelles ne font pas d'elle une personne digne de l'estime des autres.

La confiance et l'estime sont donc deux réalités différentes. Prenons le temps de les définir. La confiance en soi est un sentiment de certitude qu'une personne ressent parce qu'elle sait qu'elle a les ressources nécessaires pour faire face à une situation. Donc, cela implique qu'elle a une certaine connaissance d'elle-même, qu'elle connaît ses forces et ses limites. Pour avoir confiance en ses ressources, elle doit surtout avoir eu la preuve qu'elle a les habiletés requises pour faire face à cette situation. L'expérience est nécessaire pour que la confiance grandisse. Si, dans ce chapitre, je vous expliquais comment exécuter un triple plongeon arrière, ce n'est pas en lisant les explications plusieurs fois que vous vous sentiriez plus confiant. Votre confiance en votre capacité à exécuter ce plongeon grandirait lorsque vous auriez vraiment effectué ce plongeon plusieurs fois. Parfois, les gens me disent: «Je le ferai quand j'aurai confiance en moi.» C'est là le piège le plus courant: il faut agir car c'est en agissant que la confiance grandit.

De plus, la confiance en soi ne garantit pas la réussite. La réussite vient avec la pratique. La confiance ne prédit pas le résultat, mais la façon dont les choses vont se passer. La confiance en soi permet de croire que l'on fait de son mieux et que cela devrait se passer relativement bien. Autrement dit, la confiance en soi n'amène pas une personne à croire qu'elle va tout réussir tout le temps, mais plutôt qu'elle sera capable de se débrouiller, de survivre à cette situation-là. Et plus une personne vit d'expériences différentes, plus elle se construit une confiance qui s'élargit, qui englobe plusieurs situations.

Les gens souhaitent parfois développer une confiance en soi « universelle » : ils aimeraient avoir une grande confiance en eux, quelle que soit la situation. Cela est irréaliste car la confiance est liée à l'expérience, donc à des situations précises. Ainsi, après avoir effectué le triple plongeon arrière plusieurs fois, une personne aura confiance en elle au moment de plonger. Cela ne veut pas dire qu'elle aura confiance en elle au moment de monter à cheval ! Le degré de confiance en soi peut donc varier en fonction des situations vécues. Il est cependant possible de parvenir à développer une confiance en soi plus « généralisée ». Par exemple, une personne qui a appris l'anglais, l'espagnol et le portugais pourrait conclure qu'elle a un talent pour apprendre les langues et se faire confiance lorsque viendra le moment d'apprendre une autre langue. Ainsi, plus une personne réalisera que les habiletés qu'elle possède s'appliquent à plusieurs situations, plus elle aura confiance en elle dans une grande variété de situations.

Comment bâtir sa confiance en soi

La confiance en soi se construit peu à peu en suivant les étapes suivantes :

- Agissez, pour accumuler de l'expérience.
- Évaluez les résultats en fonction de la loi de cause à effet : si vous ne comprenez pas ce que vous avez fait pour obtenir ces résultats, vous ne saurez jamais ce dont vous êtes capable et ne pourrez pas vous faire confiance.
- Il faut oser essayer de nouvelles choses, soit pour améliorer votre façon de faire dans des situations que vous connaissez, soit pour expérimenter de nouvelles situations
- L'important, c'est de prendre des risques calculés et graduels. Décortiquez la tâche à effectuer en petites étapes, pratiquez-vous dans des situations moins difficiles. De cette façon, vous réussirez chaque étape, vous collectionnerez les succès et votre confiance grandira. Si vous prenez un trop grand risque au début et échouez, cela affectera votre confiance et vous insécurisera.

Souvent, les gens affirment qu'ils n'ont pas confiance en eux. Pourtant, ils connaissent leurs capacités, ils peuvent même nommer leurs qualités, mais ils ne se sentent pas bien. En fait, ce n'est pas qu'ils n'ont pas confiance en eux, c'est plutôt qu'ils n'accordent pas de valeur à leurs habiletés et à leurs qualités. Comme si elles n'étaient pas suffisantes pour faire d'eux des personnes aimables. Ces individus n'ont pas un problème de confiance en soi, mais d'estime de soi.

L'estime de soi

Avoir de l'estime pour quelqu'un, c'est avoir une appréciation favorable de cette personne. Pour cela, il faut :

- connaître cette personne ;
- la voir agir d'une façon qui est conforme à nos valeurs.

C'est la même chose pour l'estime de soi.

Pour bâtir, maintenir ou augmenter votre estime de soi, il faut :

- vous connaître ; et pour se connaître, il faut vous donner le droit d'exister comme individu à part entière ;
- agir conformément à vos valeurs.

L'estime de soi est le résultat d'une autoévaluation continue de vos actions. Si vous agissez en accord avec vos valeurs, vous êtes fier de vous et votre estime augmente. Si vous trahissez ou reniez vos valeurs profondes, vous ne serez pas fier de vous et votre estime diminuera. L'estime de soi est donc très variable, en fonction de vos actions.

Je pense cependant qu'il faut apprendre à s'aimer au-delà de la fierté liée aux actions, aux richesses ou au statut. Il est important d'apprendre à aimer la personne unique, imparfaite, mais irremplaçable, que vous êtes. Il m'apparaît important de se former une base solide d'estime de soi et de ne laisser personne (pas même vous) l'attaquer. C'est cette base d'estime de soi inconditionnelle qui donne une solidité interne à l'humain, qui lui permet de surmonter les épreuves et de se pardonner ses erreurs.

Pour construire cette estime inconditionnelle, il faut apprendre à distinguer qui vous êtes, et ce que vous faites. Il s'agit de l'être *versus* les actions. Certains de vos comportements sont des manifestations de votre nature profonde et certains de vos comportements sont des manifestations de vos apprentissages, de vos souffrances, de vos peurs, de votre ignorance, etc. L'estime de soi variable s'applique à vos comportements, et l'estime de soi inconditionnelle concerne votre moi profond. Cela vous permet de vous accorder le droit d'exister, le droit d'être une personne unique et distincte, puisque l'amour repose sur la compassion et non sur le jugement.

Finalement, s'aimer soi-même, c'est avoir envers soi la même attitude aimante qu'on a envers les autres. S'agit-il d'égoïsme ? Absolument pas. C'est plutôt faire preuve d'une attitude responsable. Si vous vous aimez assez pour prendre soin de vous, cela évite de faire porter aux autres la responsabilité de prendre soin de vous. Si vous vous aimez assez pour combler vos besoins, vous ne solliciterez pas sans cesse les autres pour le faire. Si vous vous aimez assez pour vous donner le droit d'exister pleinement, vous cesserez de solliciter l'approbation des autres. Être aimé par les autres est un besoin essentiel chez l'être humain, que l'on peut comparer à la nourriture. Manger comble un besoin essentiel pour la survie, mais certains font des excès. C'est la même chose pour le besoin d'amour : quelqu'un qui n'a pas une bonne estime de soi aura des besoins excessifs d'amour et d'approbation et deviendra excessivement dépendant des autres pour les combler.

S'aimer soi-même est essentiel pour arriver à donner aux autres sans trop attendre en retour. Il ne s'agit pas d'un don gratuit lorsqu'une personne donne pour se faire approuver, pour se faire aimer, pour ne pas être rejetée. Elle s'attend à quelque chose en retour et sera frustrée si elle ne l'obtient pas. Mais lorsqu'une personne donne pour se faire plaisir, pour être en accord avec ses valeurs, alors elle a déjà eu sa « récompense ». Il ne faut pas tomber dans l'excès inverse et essayer de tout donner sans jamais rien demander : comment vos besoins pourraient-ils être comblés ? Dans les interactions humaines courantes, il doit y avoir une certaine réciprocité. Lorsque la relation va dans un seul sens, la personne risque de trop donner et de se « vider ». Il est donc important de s'aimer suffisamment pour prendre soin de soi et respecter ses limites.

Il faut donc apprendre à dire non. Il y a beaucoup de gens qui ont de la difficulté à dire non parce qu'ils se sentent coupables. Dire non n'est pas un geste contre l'autre, mais bien un geste pour soi. Si vous n'apprenez pas à dire non, vous ne vous respectez pas et votre estime diminue. Vous risquez de vous vider et même de tomber malade (épuisement ou *burnout*). Et vous n'êtes même pas honnête dans vos relations : vous essayez d'être gentil en disant oui, mais en fait, vous êtes malhonnête avec vous-même et avec l'autre. Si vous n'êtes pas capable de dire non, comment savoir si vous êtes sincère lorsque vous dites oui ? Une relation doit être fondée sur la confiance : comment faire confiance à quelqu'un qui ment ? Il est probable que votre entourage réagira s'il n'est pas habitué à vous entendre dire non. Mais en principe, ces gens vous aiment et veulent votre bien. Ils seront peut-être contrariés au début, quand vous leur direz non, mais ils devraient s'adapter et accepter vos limites. Et ensuite, ils sauront que vous êtes sincère lorsque vous dites oui et ils l'apprécieront.

En plus de permettre de respecter ses limites, l'estime de soi a un impact important sur la qualité de vie, et ce, de trois façons :

1. Vous êtes attiré et vous attirez des gens qui vous traitent de la même façon que vous les traitez. Une bonne estime de soi vous permet de vous respecter, d'attirer des gens qui vous respectent et de vous éloigner des gens qui ne vous respectent pas. Par contre, une faible estime de soi vous amène à tolérer qu'on vous traite sans respect. Et le manque de respect avec lequel les gens vous traitent fait encore diminuer votre estime de soi. Une bonne estime de soi peut donc contribuer à améliorer vos relations.

2. Une bonne estime de soi facilite l'actualisation de votre potentiel et augmente vos probabilités de réussite. Elle donne la permission de vouloir le meilleur pour soi-même et la motivation pour faire les efforts nécessaires pour l'obtenir. Les gens qui ont une bonne estime de soi font souvent preuve de ténacité et de persévérance. De plus, ils sont capables de percevoir les échecs comme des

occasions d'apprentissage. Leur taux de réussite va donc être plus élevé, ce qui va encore augmenter leur confiance en soi et leur estime de soi. Une personne qui s'estime faiblement n'aura pas de but élevé dans sa vie (parce qu'elle pense qu'elle ne le mérite pas) ; elle ne fera pas preuve de ténacité et de persévérance et réussira moins souvent, ce qui va encore abaisser sa confiance et son estime. Et les échecs seront perçus comme des preuves de son incompétence, de son peu de valeur, ce qui amènera la personne à cesser d'avancer pour ne pas risquer un autre échec coûteux.

3. Une bonne estime de soi procure aussi l'autonomie essentielle à tout être vivant. L'autonomie est la capacité d'agir par soi-même pour combler ses besoins. Cela veut dire être capable de faire les choix que l'on juge bons pour soi et d'en assumer les conséquences réelles. Le fait d'être autonome et de pouvoir être librement soi-même procure un sentiment d'harmonie intérieure.

Comment augmenter l'estime de soi

L'importance d'avoir une bonne estime de soi étant démontrée, il importe maintenant de savoir comment faire pour la développer. L'estime de soi se construit souvent durant l'enfance, mais peut se développer à toute époque de la vie. Il est possible d'augmenter l'estime de soi en agissant dans trois grands domaines :

- Les talents et les capacités ;
- Les attitudes propices ;
- Le cheminement psychologique.

La *première façon* d'augmenter l'estime de soi est d'utiliser ses talents et ses capacités. Le principe est très simple : l'utilisation de ses capacités permet de développer la certitude (confiance) et la fierté (estime) d'être capable de faire face aux situations.

1. La première capacité à utiliser est votre capacité intellectuelle. L'être humain a besoin de comprendre l'univers dans lequel il vit afin que ses actions aient un sens et pour savoir où se diriger. L'intelligence humaine permet d'analyser et de comprendre la réalité. Le fait de se servir de son intelligence augmente l'estime de soi. Le fait de renoncer à l'effort intellectuel d'étudier, d'analyser, de saisir la réalité et de se former des opinions réduit votre portée sur l'univers et vous rend plus vulnérable aux manipulations des autres ou plus dépendant de l'opinion des autres. Et plus une personne est dépendante des autres, moins elle a d'estime de soi. Il ne s'agit pas de décrocher un prix Nobel, mais simplement de faire l'effort de réfléchir. Réfléchir, cela veut dire se permettre de douter de ce qu'on vous présente, de prendre un certain recul pour évaluer la qualité de l'information qu'on reçoit : est-ce que c'est plausible ? est-ce que c'est une aberration ? est-ce que l'information est complète ou incomplète ? etc. De cette façon, l'individu conserve la maîtrise sur ce

qui l'influence et sur les choix qui en découlent. La capacité d'évaluer des situations est continuellement en opération chez l'être humain : c'est elle qui permet d'évaluer le danger, de savoir si ce qui est proposé convient ou non, d'apprécier le beau, de se former une opinion. Plus une personne fait l'effort de réfléchir par elle-même, plus elle constate qu'elle est capable de comprendre des situations complexes, et sa confiance et son estime de soi augmentent.

2. Il s'agit d'actualiser, de réaliser le potentiel spécifique inscrit dans l'ensemble de votre être. Le potentiel est constitué de vos talents physiques, intellectuels, artistiques, etc. Parfois, vous les découvrez par hasard. Mais souvent, ils se manifestent par des aspirations ou des désirs. La personne ressent ces désirs comme une nécessité intérieure. Tous les êtres vivants cherchent à se développer. Cette force actualisante pousse l'être à devenir ce qu'il est. Chez l'humain, cela correspond au besoin d'actualisation (niveau 5 de Maslow).

Chez l'homme, la force actualisante est toujours active. Elle se manifeste par des besoins, des aspirations, des désirs, des rêves ou des défis à relever. Il ne s'agit pas de n'importe quel désir pour faire plaisir, mais un désir dont l'enjeu est le développement d'une capacité. C'est la satisfaction de grandir qui est recherchée. On reconnaît ces besoins d'actualisation par leur caractère impératif, la puissance du désir, la récurrence du rêve ou encore par l'urgence d'agir.

Paradoxalement, les besoins d'actualisation sont souvent accompagnés par la peur. Celle-ci peut faire perdre de merveilleuses occasions de vivre de nouvelles expériences, de faire de nouveaux apprentissages, de développer des habiletés supplémentaires ou d'agrandir votre portée sur l'univers. La peur peut donc être un obstacle important ou se transformer en alliée précieuse. Bien utilisée, elle peut en effet amener une personne à prendre des précautions supplémentaires, augmentant ainsi ses chances de réussite. La peur permet aussi de graduer le niveau de difficulté et de sélectionner les défis. Plus la personne confronte ses peurs, plus elle développe sa confiance en elle. De plus, la compétence nouvellement acquise devient également un sujet de fierté et d'estime de soi.

3. Notons que le fait de soigner son apparence physique augmente l'estime de soi. Ainsi, le fait de se sentir beau, même si ça peut sembler banal, joue un rôle primordial. De plus, les gens ne sont pas indifférents à l'opinion que les autres ont de leur corps et de leur apparence physique. Sans pour autant devenir l'esclave de l'opinion des autres ou encore de la mode, il est important de prendre soin de son apparence physique. La personne qui a une bonne estime de soi va essayer de paraître à son avantage. Cela lui évite d'être mal accueillie par son entourage et envoie un message clair sur l'importance qu'elle accorde à sa personne.

La *deuxième façon* d'augmenter son estime de soi est de développer des attitudes propices. Ces dernières ne sont pas innées. Elles peuvent avoir un certain lien avec le caractère, mais elles doivent être encouragées pour persister. Autrement dit, il est possible de les développer, et plus on les développe, plus on obtient des résultats intéressants, ce qui encourage à maintenir ces attitudes. Il y a trois attitudes à développer pour augmenter l'estime de soi :

1. La première attitude propice est la persévérance, c'est-à-dire la capacité de persister dans une activité afin d'atteindre le résultat recherché. Il ne faut pas confondre la persévérance et l'entêtement. La personne entêtée refuse de réévaluer ses stratégies, même lorsqu'elles mènent à l'échec. La persévérance est plutôt synonyme de persistance dans l'effort ; c'est une attitude qui permet de ne pas se décourager malgré les obstacles. La persévérance s'appuie sur un fort désir de réussir. Les obstacles y sont considérés comme des défis à relever, une occasion de faire preuve d'astuce et de ténacité. Il s'agit d'une caractéristique clairement identifiée à la réussite. D'ailleurs, on dit souvent que celles qui échouent sont des personnes qui ont arrêté trop vite d'essayer. Et plus une personne obtient des réussites liées directement à ses efforts, plus son estime de soi augmente.

2. La deuxième attitude propice est le droit à l'erreur. Il est impossible de repousser ses limites sans faire d'erreur. La seule façon de les éviter est de ne rien faire. Pour repousser ses limites, l'être humain doit expérimenter de nouvelles choses. L'expérimentation donne toujours des résultats positifs et des résultats négatifs. Le besoin de réussir à tout prix, la peur de l'échec et la dépense d'énergie pour éviter l'erreur

sont si importants que la personne peut être paralysée. Se donner le droit à l'erreur permet d'explorer, d'expérimenter et d'actualiser son potentiel, ce qui augmente l'estime de soi.

3. La troisième attitude propice est la capacité de risquer. L'estime de soi se bâtit en relevant des défis. Sans défi, ce qu'une personne accomplit a peu de valeur à ses yeux. Pour qu'il s'agisse d'un défi, il doit y avoir un risque : le risque de déplaire, celui de perdre la face, d'être rejeté, d'échouer, etc. Si la sécurité et le confort sont importants au point de ne pas se résoudre à les perdre, alors les possibilités d'augmenter son estime de soi sont minces. La capacité de risquer peut se développer. Il s'agit de graduer les risques, ce qui permet de réussir et d'augmenter la confiance en soi La tolérance au risque augmente aussi. Pour quelqu'un qui veut développer sa capacité de risquer, il existe des centaines de façons de le faire. Pensez à tout ce que vous n'avez pas encore fait dans votre vie. Il y a probablement des choses qui pourraient vous tenter.

La *troisième façon* d'augmenter son estime de soi est de développer le respect de soi. C'est l'ingrédient principal de l'estime de soi. Et le respect de soi s'actualise dans la fidélité à soi-même. Qu'est-ce que cela veut dire, être fidèle à soi-même ? Cela veut dire assumer ouvertement ce qui est soi. Cela veut dire agir en conformité avec ce qui est important pour soi. C'est faire en sorte que vos actes soient conformes à vos paroles et à vos principes. Être fidèle à soi-même, c'est le contraire du reniement de soi.

La fidélité se nourrit de vérité. Il faut donc reconnaître et accepter ce qui est vrai pour vous et l'affirmer comme étant votre réalité.

La nature humaine étant ce qu'elle est, il est difficile d'être constamment et en toutes circonstances fidèle à soi-même. On se surprend parfois en flagrant délit d'infidélité avec les meilleures intentions du monde. Voici l'exemple d'un jeune homme invité chez les parents de sa copine pour la première fois. Le jeune homme est trop « poli » pour dire qu'il n'aime pas les macaronis au fromage qu'on lui sert. Pour ne pas déplaire à sa future belle-mère, il affirme même qu'il n'en a jamais mangé de meilleurs... Puisque belle-maman aime bien celui qui est finalement devenu son gendre, elle prend soin de lui préparer son plat préféré depuis 10 ans. Cette anecdote est amusante et peut sembler sans conséquence, mais imaginez la déception de belle-maman si elle apprenait que son gendre lui ment depuis 10 ans... Pensez aussi à ceux qui ont fait des choix de carrière pour plaire à leurs parents : les conséquences d'une telle infidélité à soi sont beaucoup plus lourdes.

Comment être fidèle à soi

- Il faut prendre la décision d'être fidèle à soi, particulièrement dans les décisions importantes. Si vous ne prenez pas cet engagement-là vis-à-vis de vous-même, vous ne ferez pas les efforts nécessaires pour être fidèle envers vous.

- Par la suite, il faut examiner soigneusement chaque compromis avant de l'accepter. Un compromis est le sacrifice de quelque chose que l'on souhaitait afin de résoudre une impasse ou un conflit. Il est important de s'assurer que les points sur lesquels on cède ne correspondent pas à des valeurs, à des choix, à des liens ou à des sentiments importants. Céder sur des modalités secondaires ou des réactions émotives superficielles ne pose pas de problème. Par contre, céder sur des points majeurs peut provoquer de l'amertume, de la rancœur, un désir de compensation ou un désinvestissement. Il y a beaucoup de relations amoureuses qui se terminent parce que l'un des conjoints a cédé sur trop de points importants pour lui et a fini par ne plus s'investir dans la relation. Être fidèle à soi dans un tel contexte aurait peut-être pu provoquer plus de discussions, mais aurait aussi pu prolonger la relation.

➢ Ensuite, il s'agit de mesurer lucidement les enjeux essentiels de chaque décision majeure. Lors d'un choix important, il faut prendre le temps de vérifier si ce choix tient bien compte de vos valeurs, de vos choix de vie, de vos liens importants et de l'impression globale ressentie envers la situation. Les conclusions de cette vérification peuvent vous obliger à changer vos plans, mais la révision de votre choix est toujours plus facile que le fait de tolérer le déséquilibre de fond que vous vivriez si vous alliez de l'avant malgré tout.

L'avantage de se respecter dépasse largement les inconvénients qu'occasionne le fait de changer d'idée. Et la fidélité à soi entraîne d'autres bénéfices. Les voici.

- Être fidèle à soi a un impact très rapide, quasi immédiat, sur l'estime que l'on se porte. Le fait d'agir en accord avec vos valeurs augmente votre estime de vous-même. Chaque fois que vous choisissez d'agir d'une façon qui reflète vraiment ce que vous êtes, vous avez une meilleure opinion de vous. Prenez le temps de vous arrêter pour ressentir cet effet intérieur.

- La fidélité à soi-même augmente aussi le sentiment de sécurité intérieure. C'est un effet progressif, mais réel et assez rapide. Lorsqu'une personne ose dire ouvertement, pour la première fois, ce qu'elle pense vraiment sur un sujet important, elle a l'impression d'être plus forte, mieux enracinée, en meilleur équilibre psychologique. Son sentiment de sécurité intérieure est le résultat d'un changement de sa situation : la personne n'a plus besoin de se cacher ou de se dissimuler, son point de vue est devenu une position claire et nette. C'est cette transparence qui est rassurante : la personne est solidement installée au centre de sa vérité.

- La fidélité envers soi augmente aussi la confiance en soi. Ce troisième effet prend plus de temps à apparaître, parce que la confiance a besoin d'une accumulation d'expériences pour augmenter. Mais l'effet, même s'il est plus lent, est tout aussi réel. Chaque fois qu'une personne est fidèle à elle-même et s'affirme ouvertement, elle constate que son entourage l'accepte et cela la rend plus confiante.

Il est particulièrement important d'être fidèle à soi-même sur les points suivants.

Être fidèle à ses valeurs

Il est essentiel d'agir conformément à vos valeurs. Les paroles et les bonnes intentions ne suffisent pas. C'est en étant fidèle à vos valeurs que vous devenez une personne digne d'estime. Le respect de vos valeurs augmente directement l'estime de soi.

Être fidèle à ses choix

Chaque fois que vous prenez une décision, vous le faites en croyant faire pour le mieux, compte tenu de la connaissance (forcément limitée) que vous avez de la situation et des conséquences de votre choix. Être fidèle à vos choix signifie avoir du respect pour votre décision et éviter de la renier, même lorsque les conséquences ne vous plaisent pas. Cela implique de traiter vos opinions comme des choix valables. Une opinion est une création personnelle qui englobe plusieurs choix : les éléments retenus comme importants ou véridiques, ceux considérés comme des causes ou des effets, etc. Lorsque vous formez votre opinion, vous créez votre pensée, vous la forgez au meilleur de votre connaissance et de votre capacité du moment. Ce choix doit être respecté, même lorsque la suite des événements vous amène à découvrir que votre opinion n'était pas valable. Il ne s'agit pas de s'entêter, mais d'affirmer que vous avez fait ce choix en croyant que c'était le meilleur. Il s'agit donc de respecter à la fois le fait que vous avez fait de votre mieux et le fait que vous ne ferez plus le même choix, maintenant que vous avez appris de votre erreur. C'est vous respecter, même dans les erreurs que vous faites, et c'est reconnaître par conséquent que chacun de vos choix est une occasion d'apprendre. Le respect des limites de votre connaissance vous donne une liberté considérable en vous accordant le droit de vous tromper et de vous réajuster. Il vous autorise en plus à faire un nouveau choix qui tient compte de votre connaissance plus complète de la situation et de vous-même. Il s'agit là d'une puissante source de liberté et de sécurité intérieure.

Être fidèle à ses relations

Dans l'ensemble de vos choix quotidiens, il est important de tenir compte de l'importance que vous accordez réellement à vos liens avec les personnes de votre entourage. À notre époque, beaucoup de gens se sentent déchirés entre leur famille et leur travail. Ils accordent trop d'importance à leur vie professionnelle. Le malaise qu'ils ressentent indique qu'ils n'ont pas pris une décision en accord avec l'importance qu'ils accordent à leurs liens familiaux.

Être fidèle à son vécu

Cela signifie être fidèle à ce que vous ressentez. Il est important de demeurer à l'écoute du *feed-back* continuel que vous donnent vos émotions et vos sentiments concernant la valeur des choix que vous faites. Votre organisme vous indique de façon globale si ce choix vous convient ou non. Je recommande parfois à mes clients de tirer à pile ou face (ils sont d'ailleurs surpris devant la simplicité de la suggestion!). Il ne s'agit pas de suivre aveuglément ce qu'indique la pièce, mais plutôt d'observer comment vous réagissez face au choix qu'elle indique. Lorsque la pièce tombe d'un côté, elle vous indique un choix et votre organisme réagit face à ce choix. Ainsi, si vous vous sentez soulagé et satisfait de ce qu'indique la pièce, il est probable que votre choix soit approprié. Si vous avez envie de relancer la pièce, c'est que le choix indiqué ne vous convient pas. Vous avez alors des indices internes pour vous guider dans votre décision.

Lancer la pièce est facile, mais reconnaître les émotions suscitées est difficile pour certaines personnes. Cela prend du temps et de la pratique pour être capable de reconnaître ses émotions et ses besoins. Il faut surtout se donner le droit d'exister et le droit d'être distinct. Avoir le droit d'exister signifie vivre avec la conviction profonde que vous avez le droit d'être vous. C'est trouver normal le fait d'avoir des goûts, des désirs, des particularités et c'est aussi d'être capable d'en profiter. Cela signifie également vous sentir à l'aise avec vos émotions, qu'elles soient agréables ou non.

La personne qui n'a pas encore acquis le droit d'exister n'est pas certaine de sa valeur et du fait qu'elle a le droit d'être ce qu'elle est. Elle est préoccupée par son désir d'être aimée par tout le monde, d'être importante et d'avoir de la valeur aux yeux des autres, par son besoin d'être acceptée sans être critiquée. Dans certains cas, la personne va adopter des stratégies indirectes et malsaines pour combler ses besoins. Elle peut, par exemple, exiger une acceptation inconditionnelle et même tester l'amour des gens en étant désagréable. Elle peut essayer d'être aimée en faisant pitié, en étant incapable ou en étant malade. Elle peut vouloir être valorisée sans faire la preuve de ses capacités et ne supporte pas que d'autres soient meilleurs qu'elle, etc.

Ce n'est pas le fait de satisfaire tous ses besoins qui va permettre à la personne d'acquérir le droit d'exister. Au contraire, elle risque de devenir de plus en plus dépendante des autres. C'est le fait d'assumer ses besoins, c'est-à-dire de les reconnaître, de les accepter et de se responsabiliser afin de les satisfaire. C'est cela qui va lui permettre d'acquérir le droit d'exister.

Pour reconnaître ses besoins, la personne doit devenir plus consciente des signes que son organisme lui envoie. Plusieurs signes peuvent être significatifs :

- Une émotion intense devant un événement banal ;
- La même émotion à répétition avec le même genre de personnes ;
- Des comportements répétitifs dans les situations chargées d'émotions ;
- Des comportements d'évitement : situations, personnes, émotions, actions que la personne évite.

Lorsque la personne est consciente de ses besoins, elle doit les exprimer de façon adéquate, c'est-à-dire :

- En communiquant ce qui est important pour elle ;
- En étant en contact avec ses besoins et ses émotions ;

- En assumant la propriété et la responsabilité de ses besoins et de ses émotions.

Voici quelques règles de base en ce qui concerne l'affirmation de soi.

- Il faut choisir le bon moment. Il est important de vous assurer de la disponibilité de la personne à qui vous voulez transmettre votre message. Si la personne n'est pas disponible, fixez un autre moment qui convient aux deux.

- S'exprimer au *je* indique que vous assumez la responsabilité de ce que vous exprimez et aussi de ce que vous ressentez. Cela évite également d'accuser l'autre et de le mettre sur la défensive.

- Exprimer ce que vous ressentez, ce qui démontre que vous avez réfléchi à votre message, que vous avez pris le temps de comprendre ce que vous vivez. Lancer à la face de l'autre vos premières réactions émotives sans savoir exactement ce qui se passe, ce qui vous déplaît ou vous blesse n'est pas de l'affirmation de soi mais plutôt du défoulement.

- Lorsque vous vous exprimez, parler du comportement qui vous dérange et non de la personne. Attaquer la personnalité de votre interlocuteur peut causer des blessures inutiles et difficiles à guérir.

- Votre interlocuteur sera plus réceptif à votre message si vous vous exprimez clairement sur un seul sujet. Ne profitez pas de l'occasion pour raconter votre vie ou régler tous vos vieux comptes.

- L'affirmation de soi permet d'exprimer clairement votre position, c'est-à-dire ce que vous voulez et les conséquences qui en découlent. Il ne s'agit pas de faire du chantage mais de donner la possibilité à votre interlocuteur de faire un choix éclairé puisqu'il est informé des conséquences de sa décision.

Au début, la personne s'affirme et exprime son besoin, surtout dans le but d'obtenir une réponse ou de faire changer d'idée à son interlocuteur. Par la suite, elle prend conscience que le fait de s'exprimer fait du bien, procure de la fierté et donne le sentiment d'être de plus en plus vivante. La personne récupère le temps et l'énergie qu'elle dépensait à se faire aimer ou accepter, ou encore à tenter de sauver des relations problématiques. Et surtout, elle est capable d'être elle-même dans ses relations, sans tension intérieure et sans devoir provoquer des conflits avec ses proches. Elle n'est plus à la merci de son entourage. Elle acquiert son autonomie et vit en harmonie avec elle-même. Elle a donc davantage de pouvoir sur elle-même et sur sa vie[4].

Acquérir le droit d'exister et d'être distinct s'accompagne de la possibilité de se donner la vie que l'on souhaite. Le droit d'exister implique que votre existence vous appartient et que vous êtes responsable de votre vie. Vous assumez la responsabilité de vous occuper de vos besoins, de vos goûts et de vos désirs, et vous en acceptez les

4. Dans certains cas, il pourrait être nécessaire qu'une personne consulte un thérapeute pour l'aider à acquérir son autonomie ou augmenter son estime de soi.

conséquences. Et plus vous assumez cette responsabilité, plus vous constatez que vous pouvez vous faire confiance, plus vous développez un sentiment de liberté intérieure, et plus votre estime de vous augmente.

Résumé

L'estime de soi concerne la relation d'estime (d'amour) d'une personne avec elle-même, alors que la confiance en soi concerne la certitude qu'a cette personne d'avoir les ressources nécessaires pour faire face à une situation.

L'estime de soi a un impact important, principalement, en ce qui concerne la qualité de vie, sur trois plans :

- ➢ Sur le plan relationnel ;
- ➢ Sur le plan de l'actualisation du potentiel ;
- ➢ Et surtout sur les plans de l'autonomie et de l'harmonie intérieure.

Il est possible d'augmenter l'estime de soi en agissant dans trois grands domaines :

En utilisant et en développant vos talents et vos capacités :

- ➢ Capacité intellectuelle ;
- ➢ Talents physiques, intellectuels et artistiques ;
- ➢ En prenant soin de votre apparence physique.

En développant des attitudes propices :

- ➢ La persévérance ;
- ➢ Le droit à l'erreur ;
- ➢ La capacité de risquer.

En développant le respect de soi, qui s'actualise dans la fidélité à soi-même :

➢ Fidélité à vos valeurs ;

➢ Fidélité à vos choix ;

➢ Fidélité à vos relations avec les personnes de votre entourage ;

➢ Fidélité à votre vécu.

La fidélité au vécu repose sur le droit d'exister et d'être un être humain distinct. Pour conquérir ce droit, une personne doit identifier et accepter ses besoins et ses émotions, et les affirmer devant des personnes importantes pour elle, en respectant quelques règles de base sur la façon de s'affirmer. Le fait d'accomplir toute cette démarche procure un sentiment d'harmonie intérieure et l'autonomie essentielle à tout être humain.

Chapitre 3
Les caractéristiques de ceux qui réussissent

Quand un être humain vient au monde, il porte en lui les graines du succès et aussi celles de l'échec. Son éducation et son vécu peuvent favoriser la croissance des unes ou des autres. Tout être humain rencontre des circonstances et des personnes qui nuisent à son développement. Tous les êtres humains intériorisent des croyances qui leur sont nuisibles. Cependant, certaines personnes parviennent à se libérer des entraves qu'elles rencontrent, arrivent à surmonter les obstacles et à atteindre des résultats exceptionnels. Ces gens sont des gagnants. On peut penser aux athlètes olympiques, bien sûr, ou aux grands entrepreneurs. Des chercheurs se sont intéressés à ces gens qui semblent réussir mieux que leurs concitoyens, afin d'identifier leurs caractéristiques. Ils ont découvert que ceux-ci présentent des caractéristiques et des façons de faire communes.

Ils utilisent des stratégies afin d'atteindre leurs objectifs. Et ils utilisent ces stratégies d'une façon bien particulière qu'il est possible de reproduire. Toute personne qui est consciente de son pouvoir de créer sa vie et qui l'utilise de façon optimale peut atteindre des résultats supérieurs et devenir un gagnant. Mais pour cela, il faut premièrement le vouloir.

Les gens ne veulent pas tous la même chose. Certains préfèrent le statu quo et refusent le changement. Ce sont ceux qui n'acceptent pas d'évoluer et de progresser. Puis, il y a les gens qui voudraient bien progresser, mais qui ne réussissent pas à agir, à transformer leur souhait en réalité. Il y en a d'autres qui foncent tête baissée, sans direction précise, en se donnant l'illusion de progresser de façon aveugle. Ils essaient toutes sortes de choses, en fonction des attentes des autres, des modes ou du dernier gourou qui promet la réussite facile.

Et il y a ceux, peu nombreux, qui ont le courage de viser un objectif et d'avancer en direction de cet objectif en gardant les yeux ouverts afin d'évaluer les résultats. Ils n'attendent pas que les autres pensent ou agissent pour eux. Ces gens ont une volonté lucide. Ils ne se bercent pas d'illusions et savent qu'ils auront un effort exigeant à fournir pour évoluer et progresser véritablement. Ils ont compris que, pour avancer et progresser, il faut accepter de comprendre, d'apprendre et de changer. Ils sont capables d'accepter qu'ils puissent se tromper. Ils savent alors apporter les correctifs qui s'imposent quand un changement de parcours s'avère nécessaire. En cours de route, ils deviennent plus aptes à faire des discernements et leur vision des choses devient plus lucide.

Les gagnants démontrent une volonté de comprendre et d'apprendre à partir de leur vécu pour ensuite mettre au point les corrections et ajustements qui s'imposent. Les gagnants portent constamment un regard lucide sur eux-mêmes afin de bien se connaître. Par cette prise de conscience réfléchie, ils sont en mesure d'évaluer et d'apprécier leurs façons d'agir de manière à bien orchestrer les changements qui s'avèrent nécessaires.

Cette compréhension d'eux-mêmes les positionne de telle façon qu'ils peuvent prendre leur vie en main. Elle leur permet de chevaucher le courant des événements au lieu d'attendre que les circonstances les mènent par le bout du nez. Les gagnants se prennent en main plutôt que d'être ballottés en tous sens et de subir le poids du destin.

En prenant conscience d'eux-mêmes et de leur façon d'agir, les gagnants en arrivent à voir clairement leurs forces et à discerner leurs faiblesses. Ceci les conduit à l'inévitable nécessité d'avoir à s'ajuster et à s'adapter. Une telle exigence n'est pas nécessairement facile car en vieillissant, les êtres humains développent une résistance de plus en plus marquée vis-à-vis de tout ce qui s'appelle ajustement, correction, modification ou changement. Cette résistance sape à la base la volonté des gens de progresser, les fait stagner sur place et les enferme dans leurs limites. Une des grandes forces des gagnants consiste à savoir mater cette résistance pour la transformer en alliée de leur dynamisme et de leurs progrès. Les gagnants réussissent à apprivoiser le changement d'une manière réaliste et efficace.

Les caractéristiques des gagnants

La première caractéristique commune aux gagnants, c'est qu'ils ont décidé de créer leur vie. Ils en sont responsables. Le gagnant assume la responsabilité de sa vie, de ses rêves, de ses difficultés et de ses revers passagers. Il se considère comme responsable de sa réussite et ne cherche ni excuses ni faux-fuyants quand ça ne va pas aussi bien qu'il le voudrait. On ne l'entend pas dire : « Si mes parents avaient... si mon conjoint était différent... si les employés étaient plus motivés... si mon patron savait mieux s'organiser... » Il est toujours possible de trouver des événements ou des circonstances pour expliquer et même excuser les maladresses ou les erreurs commises. Le gagnant ne se cherche pas d'excuses. Il se demande d'abord ce qu'il peut faire, lui, pour que ça fonctionne mieux et que ça change. Il ne s'apitoiera pas sur son sort et ne se noiera pas dans les regrets, les remords ou les reproches à la suite des décisions qu'il a prises et des gestes qu'il a faits. Il saura assumer pleinement et jusqu'au bout ses responsabilités, en prenant tous les moyens nécessaires pour s'ajuster, progresser et réussir.

Deuxièmement, un gagnant pense globalement. Il ne limite pas sa stratégie à certains aspects isolés et ponctuels de son mode de fonctionnement. Il considère toutes les dimensions et toutes les composantes qui pourront affecter une stratégie. Il prendra en considération l'évolution de tous ces facteurs dans le temps, de manière à favoriser le déploiement graduel de toute sa stratégie. Pour bâtir une stratégie de préparation efficace, toutes les dimensions internes et externes de la personne sont examinées. Les composantes matérielles, techniques, tactiques, physiologiques, psychologiques, nutritionnelles et autres sont considérées et planifiées avec grand soin. Une attention tout aussi importante est accordée aux facteurs externes comme les relations avec l'entourage, les forces et faiblesses de l'adversaire (dans le cas d'une compétition sportive, par exemple, ou d'une négociation avec un patron ou un client), les caractéristiques des sites de la rencontre, la politique interne du sport, de l'entreprise ou de la famille, et ainsi de suite. Toute la stratégie d'entraînement ou de préparation vise à aider la personne à contrôler et à maximiser son rendement par rapport à tous ces facteurs et composantes lors de toutes les situations (compétitions, négociations, etc.) auxquelles elle aura à faire face, et cela en tenant compte d'une progression graduelle et constante dans le temps.

Troisièmement, les gagnants développent l'aptitude à fonctionner de façon optimale. Ils sont habiles à cerner l'état le plus favorable qui leur permet d'agir au mieux sans gaspiller d'énergie inutile. Ils savent en faire suffisamment sans tomber dans l'excès contraire. Ils savent trouver ce qu'ils appellent la zone optimale en tout. Ils connaissent les dangers du « trop » et du « pas assez ». Le « trop » apportera tension, mauvaise coordination et anxiété, alors que le « pas assez » entraînera perte de puissance (ou d'efficacité), lenteur et apathie. Trop analyser peut entraîner la paralysie, alors que pas assez peut provoquer des réactions inconsidérées. Les gagnants se préparent jusqu'à un certain point et passent à l'action. Trop prévoir en détail peut être un gaspillage d'énergie puisqu'une situation évolue. En contrepartie, une planification inadéquate entraîne des problèmes et de l'anxiété. La délimitation entre le « trop » et le « pas assez » est particulière à chacune des activités de la sphère humaine. Elle varie en fonction des individus et de leurs besoins. L'essentiel, pour connaître le succès, c'est de savoir ajuster continuellement son mode de fonctionnement pour réussir au mieux sans perte inutile d'énergie. Le fonctionnement optimal implique aussi que la qualité prévaut sur la quantité. Il est très important de toujours bien faire les choses dès le départ pour arriver à une qualité optimale, et ce, dans toute activité.

Quatrièmement, le gagnant est capable de concrétiser ses rêves. Cette habileté lui permet d'être branché sur la réalité. Il peut traduire ce qu'il veut atteindre ou réaliser en termes de résultats concrets, observables et mesurables. Il est nécessaire d'avoir des indicateurs mesurables pour définir concrètement les objectifs et pouvoir suivre de manière tangible les progrès. Sans de tels indicateurs, tout objectif ne sera jamais qu'un souhait qui finira par tomber dans l'oubli des bonnes intentions. Être heureux, améliorer sa relation de couple, augmenter sa confiance sont des objectifs peu concrets qui doivent être définis de façon précise. Il faut trouver des indicateurs opérationnels pour concrétiser les souhaits. Par la suite, il est possible de choisir le ou les moyens appropriés pour faire évoluer ses indicateurs mesurables dans le sens désiré, c'est-à-dire se rapprocher de l'objectif visé. Souvent, les gens ne savent pas préciser clairement ce à quoi ils veulent parvenir ; ils déplacent beaucoup d'air pour se donner l'impression d'avancer et avoir bonne conscience, mais en fait, ils s'éloignent de leur objectif ou tournent en rond. Savoir « être concret » est une qualité fondamentale qui permet de traduire les rêves en succès réalisables.

La cinquième caractéristique des gagnants, c'est d'être méthodiques. Cela leur permet de procéder logiquement, en suivant un ordre précis et des étapes bien définies afin d'atteindre un objectif déterminé. Une telle habileté est facile à comprendre, mais plus difficile à mettre en pratique. Savoir être méthodique sans devenir obsessif, c'est aussi savoir être optimal dans son approche, et cela constitue un facteur essentiel de succès sur la voie de la réussite. Quand les gagnants choisissent les moyens concrets efficaces pour atteindre leurs objectifs, ils envisagent les choses comme une ligne de conduite comportant des étapes logiques et bien ordonnées. Ils sauront ensuite respecter cette ligne de conduite de manière à bénéficier au maximum de toute la puissance de leur démarche et s'éviter bien des erreurs et des pertes d'énergie inutiles tout au long de leur cheminement.

Sixièmement, les gagnants font preuve de patience. Nous sommes à une époque où les gens veulent tout obtenir tout de suite. La capacité de différer et la tolérance à la frustration sont bien faibles. Les gens veulent le pouvoir et le plaisir tout de suite, sans se préoccuper des répercussions et des conséquences. Les gagnants, eux, savent que la réussite ne vient pas du jour au lendemain et qu'elle ne tombe pas du ciel. Savoir persévérer, accepter de reprendre et de refaire sans relâche la même tâche sans jamais se décourager, voilà une des qualités de base des gagnants.

La patience veut également dire : prendre le temps qu'il faut pour tout examiner (être global) et tenir compte de l'évolution des événements dans le temps. C'est la seule façon d'établir des stratégies d'action solides qui seront toujours valables à moyen et même à long termes. Cette patience signifie aussi pouvoir attendre ses buts tout en gardant son calme. Les gens dépensent malheureusement beaucoup d'énergie à se préoccuper de ce qui pourrait ou ne pourrait pas arriver, ou à se morfondre pour ce qui pourrait mal tourner. C'est une dépense d'énergie tout à fait inutile car ce qui les préoccupe se produit rarement tel qu'ils l'anticipent. Il faut apprendre à se dire « Une chose à la fois... tu as fait tout ce que tu pouvais. Sois patient maintenant, tout finira par se réaliser. »

La septième et dernière caractéristique des gagnants est de conserver leur optimisme en tout temps. Beaucoup de gens se sentent peu à peu envahis par un sentiment d'échec lorsque les choses ne se déroulent pas comme ils veulent ou qu'ils connaissent des revers. Si leur infortune se poursuit, les gens peuvent en venir à voir les événements négatifs comme un phénomène permanent capable de se généraliser dans tous les domaines de leur vie. Ils peuvent même attribuer l'échec à une espèce de faiblesse innée devant laquelle ils finiront par se sentir tout à fait impuissants.

L'optimisme des gagnants leur fait voir les obstacles et les revers comme des phénomènes passagers. Pour eux, l'échec n'existe pas, l'insuccès n'est que temporaire. Il s'agit d'objectifs qu'ils n'ont pas réussi à atteindre parce qu'ils les ont mal définis ou qu'ils n'ont pas pris les moyens appropriés pour y arriver. Dans cette optique, tout revers ou toute défaite n'est qu'une occasion d'apprendre, de relever un nouveau défi et d'apporter une correction de parcours à la stratégie initiale. Les gagnants ratent leur coup eux aussi. Cependant, ils vont attribuer leurs difficultés à quelque chose qu'ils peuvent changer. Ils conserveront une impression de contrôle positif sur leur vie. Cela leur donne une capacité de rebondir et de s'adapter que possèdent peu ou pas ceux qui ont appris à jeter un regard pessimiste ou défaitiste sur les événements et la réalité.

Les sept habiletés fondamentales constituent le savoir-faire qui permet aux gagnants d'utiliser efficacement les stratégies de la réussite. Sans ces habiletés, les stratégies ne sont qu'une structure vide qui ne pourra jamais être utilisée à son plein potentiel. C'est par l'interaction judicieuse des stratégies et des habiletés que toute la capacité des unes comme des autres pourra être exploitée à son maximum.

La façon de faire des gagnants est une approche qui peut être utilisée dans une multitude de contextes et qui est valable pour tous les types d'individus ou de groupes. Les habiletés des gagnants constituent le savoir-faire fondamental qui favorise une utilisation optimale de chacune des composantes ou étapes de la structure stratégique. Et plus un individu ou une organisation est habile à utiliser ces principes de base, plus grande sera sa réussite.

La combinaison de ces habiletés permet aux gagnants de faire preuve d'initiative. Espérer que la vie vous apporte le bonheur avec un grand B ou l'amour avec un grand A, c'est vous bercer d'illusions dans le confort douillet de l'inaction. C'est vivre à la remorque des événements en vous laissant ballotter au gré du vent.

Tous ceux et toutes celles qui parviennent au sommet n'attendent pas qu'une personne les pousse dans le dos pour avancer. Ils sont, au contraire, fondamentalement curieux et désireux d'apprendre sans cesse davantage. Ils ont aussi compris que la vie ne vous laisse pas vraiment le choix si vous voulez éviter de dépenser trop d'énergie inutilement. Tout au long de votre existence, vous allez devoir faire face à toutes sortes de coups et affronter diverses influences susceptibles de vous ébranler. Si vous n'êtes pas préparé, si vous n'avez pas pris l'initiative de définir votre stratégie, toutes ces influences et ces coups vous entraîneront où bon leur semblera. Vous vous épuiserez à les subir et à y réagir sans qu'il vous reste assez d'énergie pour réaliser, ou même oser avoir, vos propres rêves.

La personne réactive subit, alors que la personne proactive agit. La personne réactive attend les événements sans être préparée. Elle espère que tout ira pour le mieux sans qu'elle ait d'efforts à faire. Elle sera affectée ou dérangée par toutes sortes de choses. La température la rendra maussade, les stimuli de son environnement l'affecteront, les gens la mettront sur la défensive, etc. La personne proactive aura à faire face aux mêmes genres de stimuli, mais ses réponses seront ses propres choix. La stratégie de vie qu'elle aura pris l'initiative de développer lui permettra d'économiser son énergie et d'atteindre les résultats souhaités. La personne proactive a réalisé qu'elle possède tous les moyens souhaitables pour façonner sa destinée. Au lieu d'attendre et d'espérer, elle se prend en charge et va de l'avant. Plutôt que de se sentir frustrée par les événements et les gens, elle a pris conscience que rien ni personne ne peut la toucher à moins qu'elle ne donne elle-même son consentement. Elle sait que tout repose sur sa stratégie et ses propres décisions.

Pour arriver à développer votre capacité d'initiative et cesser de subir la réalité, il faut aussi développer une aptitude fondamentale qui s'appelle l'autonomie de pensée. Cela veut dire être capable de vous faire votre propre opinion et d'agir selon vos propres principes de vie, sans attendre l'approbation des autres ni leur bénédiction pour avoir de l'initiative. Faire montre d'une pensée personnelle et autonome est une qualité qui s'apprend et se développe. Dans le chapitre sur l'estime de soi, j'ai abordé l'importance de réfléchir, de conserver un certain « doute sain », de ne jamais tenir pour acquis ni considérer comme vérité absolue tout ce que vous pouvez entendre, voir ou lire. Il ne s'agit pas de tout rejeter, mais plutôt de trouver le juste milieu, c'est-à-dire d'être optimal. Développer une pensée personnelle veut dire considérer tous les faits et éléments (être global), en vérifier la véracité, en examiner la logique et en tirer vos propres conclusions. La majorité des êtres humains peut faire cela, mais peu sont prêts à faire ces efforts car cela exige de l'énergie. Se prendre en main soi-même en brisant ses entraves est exigeant et fait peur à plusieurs. Mais les retombées en valent la peine. Arriver à se sentir autonome, compétent et autodéterminé (très bon pour l'estime de soi) est un moteur de vie très puissant. C'est aussi ce qui permet de faire le petit effort de plus qui fait la différence entre une vie ordinaire et une vie réussie.

Les caractéristiques des gens chanceux

Certaines personnes tentent d'appliquer les caractéristiques des gagnants et pourtant, elles n'atteignent pas leurs objectifs. Cela était un grand mystère pour moi jusqu'à ce qu'un ami me lance simplement : « Que veux-tu, Sylvie, il y a des gens moins chanceux que d'autres ! » Cette boutade expliquait en partie les résultats insatisfaisants : un facteur extérieur, la chance[5] (ou malchance), venait perturber le déroulement planifié des événements. D'une part, cette explication semblait adéquate et enlevait une partie de leur responsabilité à ceux qui n'atteignent pas leurs objectifs. De l'autre, elle soulevait une multitude de questions : Qu'est-ce que la chance ? Pourquoi certaines personnes sont-elles plus (ou moins) chanceuses que d'autres ? Et surtout, que peut-on faire pour influencer la chance ? Peut-on devenir plus chanceux ?

J'ai déjà constaté que les gens malchanceux semblent attirer la malchance, comme s'ils étaient coincés dans un cercle vicieux. J'ai aussi remarqué que les gens chanceux semblent installés dans un cercle de chance, bénéfique pour eux. La question était de savoir comment passer du cercle vicieux à un cercle positif. J'ai remarqué que lorsque les gens prennent soin d'eux et font des choix pour augmenter sainement leur bien-être, la chance semble être plus présente dans leur quotidien. Comme si la vie « répondait » à leurs efforts. Y aurait-il donc une façon d'influencer la chance ? Absolument.

Et comment s'y prennent les gens chanceux pour que le hasard intervienne de façon bénéfique dans leur vie ? Au moment où j'ai eu besoin de documentation, j'ai eu la

5. Dans le présent texte, j'utilise une définition très large de la chance : événement qui influence la vie de quelqu'un et qui semble échapper à son contrôle.

« chance » de découvrir deux livres intéressants. Les auteurs identifient les caractéristiques communes aux gens chanceux. Celles-ci concernent leur attitude envers la vie et envers les autres. Elles demandent un certain ajustement psychologique interne et une certaine manière de parler de soi-même. En développant ces caractéristiques, vous pouvez augmenter vos probabilités de bénéficier de la chance.

La toile d'araignée

La première caractéristique des gens chanceux est leur capacité à créer et à entretenir un vaste et solide réseau social. Pensez à une toile d'araignée : l'araignée tisse des fils pour attraper des insectes et se nourrir. Plus sa toile est grande, plus elle attrape des insectes et mieux elle mange. C'est aussi le principe d'Internet : tisser un lien entre tous les gens de la planète. C'est ainsi qu'il faut agir pour augmenter vos probabilités d'avoir de la chance. En général, les hommes et les femmes les plus chanceux sont ceux-là mêmes qui ont créé un vaste réseau d'amis.

Il est possible de tomber sur un filon extraordinaire par l'entremise de l'ami d'un ami ou simplement en liant connaissance avec un inconnu. Plus votre réseau de contacts est vaste, plus vous augmentez votre facteur chance. Il est impossible de prévoir quel formidable coup de chance la mécanique du destin est en train de vous préparer, peut-être même en ce moment même. Il est impossible de savoir quelle filière complexe de relations humaines guidera ce coup du destin. Ce que vous pouvez savoir avec certitude, par contre, c'est que vos probabilités d'avoir un jour de la chance sont directement proportionnelles au nombre de gens que vous connaissez.

Les gens chanceux ont une forme de talent pour se faire de nouveaux contacts ; ils possèdent un certain magnétisme qui agit sur les autres et leur donne envie de communiquer. De quoi est composé ce magnétisme ? Il regroupe des centaines de composantes dont l'expression du visage, la position du corps, la tonalité de la voix, le choix du vocabulaire, la façon de regarder et de dresser la tête. Il est difficile d'analyser chacun de ces éléments, mais leur effet général sur les autres est très clair. La communication non verbale envoie un message clair à l'autre : j'ai envie de vous parler ou tenez-vous à distance. En quelques secondes, chacun peut déterminer si la personne en face de soi est un ami ou un ennemi et s'il vous trouve sympathique ou non. Les gens chanceux sont d'un abord facile et agréable. Ils ont sincèrement envie de rencontrer d'autres personnes et de leur parler.

Vous pouvez être attentif à votre langage non verbal et le modifier. Mais vous ne pouvez pas faire constamment semblant, les gens le sentent. Il faut développer un intérêt sincère pour les gens. Les êtres humains ont besoin de socialiser et la plupart en ont envie. Mais parfois la peur (du rejet ou d'être blessé) éloigne une personne des autres. Cette personne a tellement peur qu'elle ne veut pas prendre de risque et se tient éloignée des autres. Et même lorsqu'elle s'approche, elle peut envoyer un message non verbal qui indique aux autres de garder leurs distances. Par conséquent, elle n'arrive pas à établir des liens significatifs avec qui que ce soit.

Donc, pour augmenter vos possibilités de chance, socialisez, surveillez votre langage non verbal et votre attitude interne. Si vous avez peur, surmontez-la. Prenez des initiatives : sortez et parlez aux autres. La plupart des gens vous répondront gentiment, surtout si vous leur demandez de l'aide. « Quelle heure est-il ? » « Comment me rendre à tel endroit ? » Plus vous le ferez souvent, plus vous aurez confiance en vous (la confiance se bâtit par l'expérience, rappelez-vous). Vous apprécierez vos contacts avec les autres et votre réseau d'amis grandira. Votre qualité de vie augmentera. Et il se pourrait qu'un jour, ces gens reviennent dans votre vie et vous apportent la chance.

La sagesse de l'intuition

Les gens chanceux sont intuitifs. Qu'est-ce que l'intuition ? Une petite voix interne, une sensation qui indique si ce que vous faites (avez fait ou ferez) est approprié ou inadéquat pour vous. Dans certains cas, c'est un peu comme si l'intelligence faisait de l'excès de vitesse ! D'où vient cette petite voix ? Et peut-on s'y fier ? Les gens chanceux le font, mais d'une façon particulière.

Une conclusion consciente est basée sur des données précises, sur des faits précis, rigoureusement observés, efficacement mémorisés et logiquement analysés par l'esprit. Une intuition repose sur des faits dont il est impossible d'avoir consciemment conscience. Ceux-ci sont stockés et analysés quelque part dans le cerveau, sous le seuil de la pensée consciente. C'est pourquoi l'intuition est souvent accompagnée de cette étrange sensation de savoir, mais on ne sait pas tout ou on ne sait pas comment il se fait qu'on le sait. L'intuition est le résultat d'un ensemble d'informations que l'on a du mal à faire sortir de son inconscient. Elle se base sur des faits que l'on ne peut classer et identifier, dont on ne peut se servir pour démontrer la pertinence de son raisonnement, pas même à soi-même.

Un être humain reçoit chaque jour plus d'informations qu'il ne peut en emmagasiner dans sa conscience. Ces informations sont emmagasinées quelque part dans son cerveau et sont instantanément accessibles, sans effort intellectuel. Pensez à quelqu'un que vous connaissez bien. Vous avez emmagasiné des milliers d'informations sur cette personne et vous continuez d'en emmagasiner chaque fois que vous la rencontrez. Mais vous ne pensez pas constamment à toutes ces informations, vous n'en avez pas conscience. Par contre, si vous vous promenez dans la rue, vous reconnaissez cette personne instantanément, sans savoir quelles informations vous avez utilisées pour la reconnaître. Et ce n'est pas nécessaire de connaître toutes les informations que vous avez utilisées. Vous parlez avec quelqu'un. Vous avez l'intuition que l'autre ment. Vous ne savez pas sur quelles informations précises vous vous appuyez, mais vous savez que c'est vrai. Les gens qui mentent ont certains comportements que vous avez enregistrés auparavant. Vous ne savez pas précisément quel comportement a fait sonner votre petite cloche intérieure, mais votre cerveau le sait et vous a envoyé la conclusion, l'intuition.

Une intuition est souvent la conclusion d'une analyse de faits que vous recevez de votre cerveau, mais sans savoir sur quels faits elle s'appuie et sans savoir comment l'analyse a été faite. Certaines sont excellentes et d'autres non.

Les gens chanceux ont souvent des intuitions exactes. Et ils utilisent souvent leur intuition. Certains grands dirigeants reconnus le disent : « Ce qui, finalement, fait pencher la balance lors d'une décision d'affaires, c'est l'intuition. » Ces dirigeants savent qu'ils ne peuvent obtenir tous les faits avant de prendre une décision. Ils en amassent une certaine quantité et ensuite se fient à leur intuition.

Tout être humain doit constamment prendre des décisions pour s'orienter dans sa vie de tous les jours, que ce soit au sujet d'un emploi, de l'achat d'une maison, de la réaction de son entourage, etc. Il est très rare de pouvoir prétendre fonder chacune de ses décisions sur des déductions rationnelles. Vous vous servez régulièrement de votre intuition. Les gens chanceux sont des gens dont les intuitions, majeures ou mineures, s'avèrent exactes. Comment font-ils ? Ils utilisent, consciemment ou non, certaines règles.

Première règle
Apprendre à déterminer les données factuelles de base

Les recherches démontrent que les gens chanceux utilisent leur intuition dans quatre domaines de leur vie : décisions professionnelles, décisions financières, choix de carrière et relations personnelles. Ils n'écoutent pas leurs intuitions dans les domaines dans lesquels l'expérience n'a aucune valeur, comme les jeux de hasard, parce qu'ils ne peuvent déterminer les données factuelles de base. Les gens chanceux se questionnent sur la valeur de l'information de base sous-jacente à leur intuition. Ils ne peuvent pas toujours identifier les faits inconscients emmagasinés, mais ils se demandent s'il est réaliste qu'ils aient pu emmagasiner des informations sur le sujet. Ils se fient à leurs intuitions rationnelles liées à leur domaine d'expérience.

Tout être humain a un filtre en ce qui concerne sa perception et a tendance à ne conserver que les informations qui lui conviennent. Recueillez toutes les informations disponibles, pas juste celles qui appuient votre intuition.

Pourquoi vérifier si l'intuition s'appuie sur des faits ? L'intuition a une source inconsciente. Mais dans l'inconscient, il n'y a pas que des faits classés et ordonnés. Il y a aussi des souvenirs, positifs et négatifs, des émotions, des sentiments, des besoins et des désirs. Tout cela peut influencer l'intuition, ce qui nous mène à la deuxième règle.

Deuxième règle
Ne jamais confondre espoir et intuition

Si votre intuition vous dit que quelque chose est vrai et si vous tenez absolument à ce que ce soit vrai, méfiez-vous. Bon nombre de fausses intuitions sont simplement de puissants souhaits déguisés. Les joueurs compulsifs ont beaucoup d'espoirs déguisés en intuition. Mais ils n'ont pas la réputation d'avoir des intuitions exactes et gagnantes.

Vous allez acheter un appareil électroménager et le vendeur ressemble à votre oncle préféré. Inconsciemment, il est possible que vous ayez un préjugé favorable envers le vendeur qui risque de teinter votre intuition. Lors des premières secondes d'une nouvelle rencontre, vous n'avez pas eu le temps de rassembler, même inconsciemment, suffisamment de données pour vous faire une opinion réaliste.

Prenez le temps de ramasser d'autres informations et vous verrez si les nouvelles viendront appuyer ou changer votre intuition.

La peur du changement, de l'inconnu, et toutes les autres peurs peuvent vous donner des intuitions très négatives et totalement fausses par rapport à une situation. Questionnez-vous et vérifiez les faits réels dont vous disposez.

Troisième règle
Prendre le temps de laisser son intuition se préciser

Il est parfois difficile de faire la distinction entre l'espoir et l'intuition ou même entre la peur et l'intuition. Par conséquent, lorsque vous avez une intuition, surtout si elle doit déterminer une décision importante, prenez le temps de l'évaluer, de tenter de la vérifier. Mais surtout, laissez-lui le temps de se préciser. C'est la troisième règle et peut-être la plus importante.

Les intuitions sont fondées sur les faits, mais elles se présentent comme des émotions, des *feelings*. Pour sentir une intuition de façon claire, il faut se mettre à l'écoute de ses émotions, les respecter, leur prêter beaucoup d'attention.

Par conséquent, il ne faut pas étouffer une intuition à coups de déductions logiques. Une intuition est souvent une sensation. Et une sensation, c'est le produit de tout ce qui a été emmagasiné à la fois par le corps et par l'esprit. Ce que vous ressentez à propos d'une situation contient toujours plus d'informations que ce que vous pouvez en connaître par simple analyse intellectuelle. C'est un amas très riche de données et d'impressions, dont certaines ne peuvent même pas se traduire en mots. Ces sensations sont dans les profondeurs de l'être et il faut explorer et être à l'écoute, sans jugement, de ce qui remonte de ces profondeurs. Certains le font instinctivement, d'autres doivent l'apprendre. En fait, les enfants fonctionnent comme cela, mais l'éducation qu'on leur donne leur fait parfois douter de leurs intuitions et ils y renoncent. Les adultes peuvent réapprendre à écouter leur intuition. Les gens chanceux utilisent des méthodes simples pour développer leur intuition :

- ➢ Méditer ;
- ➢ Revenir plus tard au problème ;
- ➢ S'éclaircir l'esprit ;
- ➢ Se recueillir dans un endroit simple.

Avec de la pratique, vous pourrez améliorer votre intuition et aurez alors accès à un univers extrêmement riche d'informations réelles, enregistrées dans l'esprit sous le seuil de la pensée consciente, là d'où provient l'intuition.

La chasse aux bonnes occasions

De petites chances passent régulièrement à la portée de tout le monde. Seuls ceux qui les saisissent peuvent en profiter. Les gens chanceux ont l'habitude d'être toujours à l'affût des bonnes occasions. Et ils agissent de façon à pouvoir profiter de ces chances, en respectant certaines règles.

Première règle
Être toujours prêt à étudier soigneusement les bonnes occasions

Les gens chanceux ont souvent une attitude détendue à l'égard de la vie. Leur degré d'anxiété étant plus faible, ils sont moins préoccupés par leurs problèmes. Ils ne sont pas enfermés dans leur tête et perçoivent plus de choses dans leur environnement. Cela leur permet de voir les bonnes occasions. Par conséquent, apprendre à contrôler votre stress est essentiel : cela est excellent pour votre santé et, de plus, vous percevrez toutes les bonnes occasions que la vie offre.

Pour profiter de toutes ces occasions, il faut oser. Les gens chanceux sont ouverts aux nouvelles expériences et ont l'audace de saisir ces occasions. Ne dit-on pas que la fortune sourit aux audacieux ? La chance est attribuable, au moins partiellement, au fait que ces gens prennent des risques et, dans certains cas, des risques fréquents. Ils sont toujours prêts à étudier soigneusement les bonnes occasions quand elles se présentent. Ils saisissent les occasions et ne les refusent pas, même si elles les font dévier de leur route. Les gens chanceux ont parfois un parcours un peu en zigzags, au gré des chances qui passent. Mais cela leur réussit bien.

Deuxième règle
Savoir faire la différence entre audace et témérité

Les gens chanceux savent faire la différence entre audace et témérité. Jouer sa vie sur une aventure spectaculaire dans laquelle on risque de tout perdre, voilà de la témérité. Par contre, évaluer les pertes possibles de façon réaliste et essayer quelque chose de nouveau malgré la peur, voilà de l'audace.

Les gens malchanceux sont souvent des gens passifs. Ils ont tendance à laisser la vie venir à eux au lieu de saisir toutes les occasions qu'ils auraient d'agir. Le changement les effraie souvent, même s'il ne présente aucun risque. Plutôt que d'évaluer la situation et les aspects réellement négatifs, ils abandonnent tout simplement dès qu'il s'agit de quelque chose de nouveau. Ils se disent que le risque est trop grand, même quand il n'y en a pas du tout. C'est une sorte d'excuse qui leur permet de demeurer dans leur zone de confort. Il est très facile de refuser une aventure nouvelle et passionnante en la qualifiant de téméraire. Pourquoi courir au-devant des troubles, n'est-ce pas ? Si vous ne prenez pas de risques, vous ne perdrez rien ; cependant, vous resterez loin de vos objectifs personnels. Alors, lorsque vous évaluez une situation, soyez honnête avec vous-même : essayez d'être le plus objectif possible en ce qui concerne les risques réels de la situation qui vous effraie et ne vous cachez pas derrière l'excuse de la témérité.

Il est vrai que, lorsqu'on prend des risques, il faut s'attendre à perdre. Mais qui ne risque rien n'a rien. Les gens chanceux sont conscients de cette possibilité de perdre. Il peut même leur arriver de perdre souvent. Mais comme les risques qu'ils prennent sont réduits, les pertes le sont également. Si on ne risque pas, il n'y a aucun bénéfice, sauf celui de ne pas sortir de sa zone de confort. Quand on est prêt à accepter de petites pertes, on s'organise pour faire des bénéfices. Les gens chanceux prennent des risques calculés et gradués. Ils étudient soigneusement les bonnes occasions qui se présentent.

Troisième règle
Au moment de vivre une situation nouvelle, ne pas essayer de savoir d'avance tout ce qui va arriver

Dans presque toutes les situations humaines, vient un moment où il faut cesser d'accumuler de l'information. Il faut prendre, avec audace, la décision de foncer ou de ne pas foncer. Il ne s'agit pas de se lancer dans une aventure tête baissée sans en évaluer les conséquences possibles. Il faut, au contraire, prendre le plus d'informations possible pour bien évaluer la situation. Il est cependant impossible de tout savoir et de tout prévoir d'avance. Il existe un seuil au-delà duquel l'examen des faits n'apporte plus rien. Passé ce seuil, si vous êtes incapable de prendre une décision et que vous cherchez encore de l'information, cela signifie simplement que vous cherchez une excuse pour ne pas agir. Les gens chanceux ne se paralysent pas en tentant d'être tout à fait sûrs de tout, ils osent et ils agissent.

Demander le meilleur à la vie

Dans la vie, il arrive toujours des événements imprévisibles. Les gens malchanceux croient que les événements imprévisibles joueront en leur défaveur. De plus, ils sont persuadés que toute manifestation de la chance dans leur vie ne peut être que temporaire et suivie d'une catastrophe. Dans certains cas extrêmes, ils pensent que, puisque la malchance interviendra de toute façon, il leur est inutile de faire des efforts et de persévérer dans leurs démarches.

À l'inverse, les gens chanceux nourrissent des attentes qui les aident à réaliser leurs rêves et leurs ambitions. Pour eux, le futur ne peut leur apporter que du positif. Ils s'attendent à ce que les événements imprévisibles jouent en leur faveur. Lorsque la malchance intervient, ils l'interprètent comme un événement passager, auquel ils accordent peu d'importance. Ils ne laissent pas cet événement modifier leurs attentes et persévèrent dans leurs efforts pour atteindre leurs objectifs.

De plus, les gens chanceux s'attendent à avoir des interactions positives et fructueuses avec les autres. Ces attentes influencent leurs comportements à l'égard de leur entourage. Ils ont une vision positive des personnes et les traitent en conséquence. Les gens répondent favorablement à une telle attitude.

Le paradoxe du pessimisme

Même s'ils demandent le meilleur à la vie, les gens chanceux sont paradoxalement pessimistes. Par contre, ils sont généralement heureux. Ils se considèrent comme chanceux parce qu'ils ont atteint leurs objectifs personnels, en partie grâce à leurs propres efforts et en partie grâce aux effets de la chance (ou du destin, de Dieu, etc.). La plupart d'entre eux sont agréables, sociables, satisfaits, contents. Ils rient souvent. Mais ils ne sont pas optimistes. Être optimiste, c'est espérer que les choses aillent mieux. En général, les gens chanceux ne l'espèrent pas. Ils accordent beaucoup d'importance à la maîtrise des situations et déploient beaucoup d'efforts pour prévenir le mauvais sort éventuel. Ils tirent des leçons des échecs passés. Utilisant leur créativité et leur souplesse de réflexion, ils tentent de prévoir tout ce qui pourrait entraver l'atteinte de leurs objectifs. Ils prennent activement des précautions contre tous les obstacles ou toutes les malchances qu'ils peuvent imaginer. La majorité d'entre eux nourrissent un pessimisme si radical, si coriace et si profond qu'il surprend. Les gens chanceux entretiennent leur pessimisme, ils le protègent des attaques, l'exacerbent quotidiennement pour qu'il reste pur et dur. Pour eux, perdre ce pessimisme, ce serait perdre leur chance.

Le recours au pessimisme peut s'articuler autour de deux lois principales. La première est la loi de Murphy : si quelque chose peut aller mal, cela ira mal. Il y en a même qui disent : « Tout ce qui peut aller mal ira mal. » Rappelez-vous : les gens chanceux ont de l'audace, mais ils ont aussi un dispositif de sécurité : le siège éjectable. Et même s'ils sont souvent chanceux, quand ils embarquent dans une nouvelle aventure, ils ne croient jamais qu'ils seront chanceux. Ils savent que la chance est inconstante, qu'elle fluctue. Alors, ils ne se fient pas à elle.

Ne croyez jamais que vous êtes chanceux. Au moment où la vie est la plus belle, la plus radieuse, où la chance semble vous entourer, c'est à ce moment-là que vous êtes le plus vulnérable. Votre euphorie fait fondre votre pessimisme. Quand votre pessimisme s'en va, vous êtes en danger, vos défenses tombent. Vous débranchez votre siège éjectable. Vous négligez les petites intuitions bizarres qui essaient de vous dire ce que vous ne voulez pas entendre. Puis, tout à coup, vous vous retrouvez le nez par terre.

Il y a eu des études sur les joueurs : les gagnants et les perdants. Les perdants ne veulent pas perdre, au contraire. Mais ils perdent à cause d'un surplus d'optimisme. Souvent, ils ont gagné au début. L'expérience leur a plu et ils veulent la revivre. C'est impossible, les lois de la probabilité démontrent clairement qu'on ne peut pas gagner toujours. Mais les joueurs invétérés continuent d'espérer. Les vendeurs d'assurances vous le diront : les clients potentiels les plus difficiles sont ceux qui ont été chanceux plus jeunes. Rien de grave ne leur est arrivé, ni aux membres de leur famille. Ils se croient invincibles, réellement protégés de la malchance et pensent qu'ils n'ont pas besoin d'assurances. Se sentir protégé par la chance est un état dangereux parce qu'on abandonne ses défenses et ses précautions. N'oubliez jamais la loi de Murphy.

L'autre loi qu'il faut connaître, c'est la loi de Mitchell. Elle s'énonce comme suit : « La vie est glissante comme une barre de savon. Ne pensez pas pouvoir la saisir. Vous vous trompez... » Beaucoup de gens pensent pouvoir contrôler leur vie, la planifier soigneusement et atteindre leurs objectifs simplement en travaillant fort. Les méthodes de planification ont une certaine efficacité, c'est vrai. Mais il ne faut pas oublier le facteur X, la chance. Si vous pensez que vous pouvez vous immuniser contre tous les événements désagréables, vous vous trompez. Et l'illusion peut être dangereuse.

Le désordre de la vie plaît à certains et les amuse. D'autres en sont irrités. La différence entre les deux groupes, c'est que les gens chanceux acceptent le désordre. C'est une donnée factuelle, objective, dont ils doivent tenir compte, qu'ils le veuillent ou non. Les malchanceux luttent contre ce désordre, ils ne l'acceptent pas.

Une recherche sur les classes supérieures a démontré que les classes vouées à l'échec ont deux traits de caractère dominants : l'illusion d'être hors d'atteinte de la malchance et une certaine impression de supériorité par rapport aux circonstances de la vie. Le travail de quelqu'un issu d'une classe supérieure est de planifier et de faire en sorte que les choses se passent comme prévu. Parfois, il y a échec par erreur, parfois par malchance. L'administrateur qui réussit est, sur le plan émotionnel, prêt à subir certaines malchances. Il n'est pas démoralisé quand elles le frappent. Il est conscient que le hasard peut réduire à néant les plans les plus soigneusement construits. Si cela se produit, il est contrarié et malheureux, mais sa malchance ne le détruit pas. Il se dit : « Une part de cette malchance est peut-être due à ma mauvaise gestion, mais une part est sans conteste de la pure malchance. »

L'administrateur voué à l'échec, avec ses deux illusions d'immunité et de supériorité, est plus facile à déséquilibrer. Il n'a pas les ressources émotives nécessaires pour accepter les échecs de manière aussi calme. Il se cramponne à cette illusion qu'il entretient, c'est-à-dire qu'il exerce un contrôle total sur les événements. Sa tendance est de se blâmer lui-même quand arrive la malchance. Il réagit en s'attribuant la responsabilité de l'échec.

Dans la vie en général, quand on se cramponne à l'illusion de contrôler son existence, on s'expose à deux types de danger. Le premier, c'est qu'on ne construit pas de défenses contre la malchance imprévue qui peut frapper n'importe qui et n'importe quand. Le second, c'est que la malchance, quand elle frappe, risque de détruire complètement l'individu.

La loi de Mitchell vous dit donc de ne pas trop vous fier au contrôle que nous pensons avoir sur les événements. Ce contrôle est beaucoup plus restreint que nous nous plaisons à l'imaginer. La loi de Murphy vous conseille de ne pas trop vous fier au sort, car les situations peuvent aussi bien s'améliorer que se dégrader. Si l'on combine ces deux lois, on obtient le message suivant : il ne faut jamais s'engager dans une situation sans savoir quoi faire si elle tournait mal. Voilà le sain optimisme des gens chanceux. Et cet optimisme particulier est appuyé par une autre arme secrète des gens chanceux, le siège éjectable.

Le siège éjectable

Les gens chanceux sont audacieux, mais prudents : ils s'installent sur un siège éjectable. Le principe est simple à expliquer. Les gens chanceux savent que la plupart de leurs actions leur apporteront soit un gain, soit une perte. Au départ, il est impossible de prévoir dans quel sens la roue de la chance va tourner. Si elle tourne à l'envers, tout est prêt pour l'arrêter d'un coup sec. Les gens chanceux savent se retirer très vite de situations qui se détériorent. Ils savent comment s'en éloigner lorsqu'ils n'ont pas de chance. Ils limitent les pertes afin de protéger leurs acquis. C'est une stratégie pleine de bon sens, mais la plupart des gens ont de la difficulté à l'appliquer parce qu'il existe deux obstacles majeurs qui relèvent du domaine des émotions. Ces obstacles peuvent être surmontés. Le seul fait de savoir d'où vient l'obstacle le rend déjà moins difficile à surmonter.

Le premier obstacle, c'est la difficulté à reconnaître ses erreurs. Pour limiter les dégâts et se retirer rapidement d'une situation qui se détériore, il faut être capable de se regarder dans le miroir, d'affronter le regard des autres et de dire que l'on s'est trompé. Ce n'est pas facile, c'est même parfois insupportable. Les gens qui craignent le jugement des autres ont beaucoup de difficulté à faire cela. Admettre une erreur est difficile. Parfois, les gens s'accrochent, en souhaitant que la situation va s'améliorer, et espèrent qu'ils ne perdront pas la face, qu'ils pourront justifier leur choix. Mais parfois, il faut sacrifier son ego pour sauver sa peau. Tout être humain a besoin de reconnaissance et d'estime. Bien contrôlé, ce besoin peut conduire à de remarquables succès. Mais si le besoin est trop fort, il peut avoir des effets catastrophiques en empêchant la personne d'admettre qu'elle a tort. Parfois, les gens vont se dire : « Je savais que cela ne marcherait pas, mais je n'ai pas eu le courage de tout arrêter. » Au début de toute aventure humaine, il y a toujours un moment où il est possible de s'éjecter relativement facilement et sans trop de douleur. Mais ce moment passe vite. Ensuite, les gens s'enlisent et cela devient de plus en plus dur de débarquer.

La difficulté à abandonner un investissement constitue le deuxième obstacle émotif. La principale caractéristique des joueurs professionnels, c'est de savoir quand et comment se retirer du jeu et surtout comment limiter leurs pertes. Quand leur intuition leur dit qu'ils n'ont pas de chance de gagner, ils n'augmentent pas la mise. Ils laissent simplement leur mise initiale sur la table et laissent tomber leurs cartes. Ils acceptent cette perte pour ne pas perdre davantage. Les perdants chroniques ne sont pas émotionnellement outillés pour agir de la sorte. Ils ont si peur de perdre leur mise initiale qu'ils prennent des risques fous pour la protéger. Cette caractéristique se retrouve chez beaucoup de gens dans plusieurs domaines autres que le jeu.

Chaque fois que vous devez abandonner, vous devez oublier ce que vous avez investi en temps, argent, énergie ou engagement émotif. C'est très pénible. Cela est tellement souffrant pour certaines personnes qu'elles semblent incapables de s'y résoudre. Certains ont tellement peur d'affronter cette souffrance qu'ils tentent de se convaincre que leur situation n'est pas si pire. Et ils s'enlisent encore plus. Plus ils restent longtemps, plus leur investissement grandit, et plus cela devient difficile de l'abandonner.

Donc, les gens chanceux acceptent de reconnaître leurs erreurs et de perdre leur investissement afin de limiter les pertes. Ce ne sont pas des gens instables car ces changements ne sont pas dus au caprice. Les gens chanceux ne changent pas pour le plaisir de changer ou parce qu'ils espèrent que l'herbe est plus verte chez le voisin. Ce ne sont pas des gens constamment insatisfaits. Ils effectuent des changements pour deux raisons : soit parce qu'un coup de chance soigneusement analysé se présente et qu'ils ont l'audace de le saisir, soit parce qu'une situation, malgré toutes les prévisions, tourne mal et qu'ils utilisent leur siège éjectable pour se retirer avant d'être coincés.

Ces deux composantes, l'audace et le siège éjectable, se complètent. Si vous êtes audacieux, votre mécanisme de siège éjectable se déclenche vite et de façon radicale quand vous en avez besoin. Et si vous êtes sûr de l'efficacité de votre siège éjectable, si vous avez confiance dans le fait que, grâce à ce système, vous ne resterez jamais longtemps en mauvaise position, votre audace augmente. Un bon siège éjectable vous permet de vous lancer dans des aventures intéressantes. Sans lui, vous auriez été effrayé au point d'y renoncer. Il permet de se dire : « Oui, je m'attends à perdre si cela tourne mal. Mais je ne perdrai pas beaucoup. Si cela ne fonctionne pas, je laisserai mes 10 % et je m'en irai. » Voilà la véritable audace quand on se lance dans une aventure. Les pertes possibles sont limitées, mais les gains ne le sont pas. Ces deux composantes vous permettront de dépasser les limites actuelles de votre vie.

Choisir d'être chanceux

Les gens chanceux éprouvent eux aussi des difficultés. Ils utilisent des techniques psychologiques afin de faire face aux événements difficiles et même d'en tirer profit. Ces techniques leur permettent d'avoir une perception positive de tout ce qui se produit dans leur vie, leur donnant encore plus le sentiment d'être chanceux.

La première technique permet aux gens chanceux de voir le côté positif de tout événement. Même lors d'une malchance, ils se perçoivent chanceux. Pour ce faire, ils imaginent comment la situation aurait pu être bien pire. Ainsi, s'ils tombent et se foulent une cheville, ils vont penser qu'ils auraient pu se casser le cou et mourir. Par comparaison, leur sort réel est une vraie chance ! Un dicton québécois illustre bien cette technique : quand on se regarde, on se désole ; quand on se compare, on se console.

Les gens chanceux sont aussi convaincus que leur malchance débouchera tôt ou tard sur quelque chose de positif. Cette deuxième technique permet d'adoucir l'impact émotionnel du mauvais sort. Les gens sont ainsi moins démoralisés et lorsqu'ils se projettent dans l'avenir, ils s'attendent à ce que la situation change. Par conséquent, ils restent capables d'agir et d'influencer positivement la suite des événements.

Parce qu'ils voient le positif même dans les situations difficiles et parce qu'ils sont capables d'en amoindrir l'impact émotionnel, les gens chanceux ne ruminent pas leur mauvais sort. Cette troisième technique leur permet de se détacher du passé pour se concentrer sur l'avenir qu'ils imaginent positif. Ils sont ainsi plus heureux. Et le fait d'être heureux teinte leur perception de la réalité. Une personne triste a tendance à percevoir et à retenir les aspects les plus sombres d'une situation, ce qui la rend encore plus triste. Un effet spirale est ainsi enclenché. Les gens chanceux font l'inverse : étant plus heureux, ils perçoivent et retiennent les aspects positifs des événements, ce qui les rend encore plus heureux.

Ces techniques ne sont pas exclusives aux gens chanceux. Il est possible de les apprendre et de les appliquer. Une pratique assidue de ces techniques vous permettra d'augmenter votre qualité de vie et l'influence bénéfique de la chance dans votre vie.

Résumé

Il est possible d'identifier et de reproduire les façons de faire de ceux qui réussissent.

- ➢ Ils assument la responsabilité de leur vie et prennent les moyens nécessaires pour atteindre leurs objectifs.
- ➢ Ils ont la capacité de se situer à un niveau global et de considérer tous les éléments qui pourraient affecter leur stratégie.
- ➢ Ils développent l'aptitude à fonctionner à un niveau optimal : ils atteignent l'état le plus favorable leur permettant d'agir au mieux, sans gaspiller d'énergie.
- ➢ Ils ont la capacité d'être concrets et de traduire leurs objectifs en termes de résultats observables et mesurables.
- ➢ Ils sont méthodiques et procèdent en étapes bien définies.
- ➢ Ils font preuve de patience et savent persévérer sans se décourager.
- ➢ Ils conservent en tout temps un sain optimisme leur permettant de voir les difficultés et les échecs comme des phénomènes passagers.
- ➢ Ils font preuve d'initiative, prennent leur vie en main et savent que rien ne peut les perturber à moins qu'ils ne donnent leur consentement.

Bien entendu, la chance intervient dans la vie quotidienne. Et certaines personnes sont plus chanceuses que d'autres. Il est cependant possible de développer les caractéristiques qui vous permettront d'augmenter le rôle bénéfique de la chance dans votre vie.

- Les gens chanceux développent un vaste réseau social, comme une toile d'araignée ; ils attirent les gens et sont sincèrement intéressés par eux.
- Ils écoutent la sagesse de leur intuition dans quatre domaines de leur vie et utilisent des méthodes pour développer leur intuition.
- Ils sont toujours prêts à étudier et à saisir les bonnes occasions grâce à leur attitude détendue, à leur ouverture aux nouvelles expériences et à leur audace.
- Ils s'attendent à ce que la vie et les gens leur apportent le meilleur. Leurs attentes positives leur permettent de persévérer dans leurs efforts.
- Paradoxalement, ils font preuve de pessimisme et prennent des mesures constructives pour prévenir tous les obstacles qui pourraient surgir.
- Ils utilisent un siège éjectable afin de limiter leurs pertes.
- Ils utilisent des techniques psychologiques pour transformer le mauvais sort en bonne fortune.

Ces caractéristiques peuvent être développées par la majorité des êtres humains. Elles apporteront leur effet bénéfique à toute personne qui choisira d'utiliser son pouvoir afin de créer sa vie.

Chapitre 4
Les obstacles

Un livre sur le pouvoir de créer sa vie ne saurait être complet sans un chapitre consacré aux obstacles qui surgiront sur la route de la personne qui chemine. Dans ce chapitre, j'aborderai surtout les obstacles intérieurs qui risquent d'empêcher une personne d'atteindre ses objectifs, c'est-à-dire les croyances néfastes et les peurs.

Les croyances : atouts ou obstacles

Le rêve et l'idée sont à la base de tout. Avant que quoi que ce soit ne se manifeste dans le monde concret, cela apparaît tout d'abord sous la forme d'une pensée dans l'esprit d'une personne. La tour Eiffel, à Paris, est née dans l'esprit de M. Eiffel avant de devenir un monument connu dans le monde entier. Et lorsqu'un être humain croit en son idée, cela met en branle des processus intérieurs qui influencent sa façon d'agir. Les gens qui réussissent ont des attentes particulières et croient en leur réussite. Vous pouvez aller aussi loin que ce que vous imaginez... mais pas plus loin. Ce que votre esprit ne peut concevoir ne peut pas être réalisé. Vous ne pouvez pas concrétiser des projets auxquels vous n'avez pas pensé. Alors, utilisez votre imagination pour déterminer ce que vous voulez réaliser dans la vie. Rêvez sans limites, votre esprit est tout-puissant.

Il y a cependant une chose importante qu'il vous faut savoir. L'esprit est composé de deux parties : le conscient et l'inconscient. L'esprit peut être comparé à un bureau : il y a le dessus du bureau et les tiroirs. Vous pouvez voir ce qui est sur le bureau, cela correspond au conscient. Ce à quoi vous pensez en ce moment fait partie de votre conscient. Et il y a les tiroirs du bureau dans lesquels se trouvent toutes sortes de choses que vous ne pouvez pas voir : c'est l'inconscient. Tout ce qui n'est pas présent à votre esprit en ce moment est dans une zone de votre inconscient. Un bureau peut avoir plusieurs tiroirs, certains facilement accessibles et d'autres verrouillés. Un phénomène similaire se produit dans l'inconscient : certains éléments de votre inconscient peuvent être facilement accessibles et d'autres sont plus difficiles à identifier.

Tous les auteurs qui s'intéressent à l'être humain et surtout au changement reconnaissent l'importance de l'inconscient. Ils le nomment parfois différemment, mais tous sont d'accord pour dire qu'il a un impact majeur sur les pensées, les émotions et le corps. Son impact est d'autant plus grand que vous ne pouvez pas le contrôler puisque vous n'en êtes pas conscient. Vous pouvez contrôler, gérer, modifier ce dont vous êtes conscient. Mais vous n'avez aucune prise sur ce que vous ne connaissez pas. Il n'est pas nécessaire d'être conscient de tout. En ce moment, vous lisez ce livre. Votre cœur bat et vous respirez sans y penser, sans en être conscient. L'être humain ne peut gérer consciemment toutes les informations à sa disposition. Votre conscient gère une partie des informations dont vous avez besoin pour vivre le moment présent, et votre inconscient s'occupe du reste. L'inconscient a donc une très grande capacité de gestion de l'information (il est le siège de l'intuition) et il vous fait agir en fonction de ces informations. L'inconscient contient aussi des éléments que vous devez connaître si vous voulez comprendre pourquoi vous agissez d'une certaine façon et surtout si vous voulez modifier votre comportement. L'inconscient contient entre autres des croyances.

Ce qu'est une croyance

L'être humain a besoin de donner une signification aux choses qui l'entourent. Il a besoin de se faire une représentation (une idée) de la réalité. Mais il n'a pas accès à toute la réalité. Il utilise des mécanismes tels que la généralisation pour combler sa représentation de la réalité. Il vit une expérience, en tire une conclusion sur les causes ou la signification et généralise cette conclusion sans vérifier si elle s'applique à la réalité. Une représentation ou conclusion accompagnée d'un sentiment de certitude est une croyance. Et le sentiment de certitude devient de plus en plus fort chaque fois que la personne revit une expérience similaire. Cela ne veut pas dire que la conclusion est exacte. Il faut comprendre que la croyance est une idée qu'une personne admet comme vraie, sans l'avoir vérifiée. Je vous donne un exemple : un client me racontait qu'enfant, il avait remarqué que, chaque fois que les arbres bougeaient, il y avait du vent. Il en avait conclu, et a cru longtemps, que ce sont les arbres, en bougeant, qui créaient le vent. Chaque fois qu'il vivait cette expérience, sa croyance était renforcée, même si elle ne correspondait pas à la réalité. Il a modifié sa croyance lorsqu'il l'a confrontée à une autre vision de la réalité. Mais pendant un certain temps, cette croyance constituait une partie de la représentation que cet enfant se faisait du monde.

Comme tout être humain, vous avez développé des croyances au sujet de votre environnement et de vous-même. Il peut s'agir de croyances qui se limitent à un aspect de votre vie, telles que « je ne suis pas capable de nager ». Vous avez aussi des croyances globales qui touchent un domaine plus large de votre vie ou de votre environnement, par exemple : « Tous les gens sont fondamentalement bons. » Il est possible de développer des croyances à propos de n'importe quel sujet, à la condition de trouver suffisamment de points de référence pour confirmer votre idée de base. Et certaines croyances sont plus puissantes, plus ancrées que d'autres ; elles proviennent souvent de l'enfance. L'enfant est moins capable de confronter ses croyances à la réalité et ne les remet même pas en question. Et il accumule beaucoup d'expériences qui viennent appuyer cette croyance. Une croyance vieille de 20 ans est plus difficile à changer qu'une croyance très récente.

Le pouvoir des croyances

Les gens sont souvent persuadés que leurs croyances reflètent la réalité. C'est faux puisque la réalité vraie, pure et objective, n'existe pas. Prenez l'exemple de deux croyances globales opposées : « Les gens sont fondamentalement bons » et « Les gens sont tous méchants ». Il n'est pas possible de déterminer laquelle de ces croyances est vraie. Dans les deux cas, vous pouvez trouver suffisamment de points de référence dans vos expériences passées pour appuyer votre conviction. Cependant, vous allez agir en fonction de votre croyance. Celle-ci déterminera votre attitude générale envers les gens. Vous serez confiant ou méfiant, selon la croyance que vous avez adoptée. Vos croyances ont un impact sur vos décisions et influencent vos sentiments et vos comportements.

Vos croyances influencent aussi votre perception des événements présents et futurs. Supposons que vous avez la croyance que vous êtes incompétent au travail. Si quelqu'un vous dit : « Le patron veut te parler », vous allez vous attendre à des commentaires négatifs de sa part. De son discours, vous ne retiendrez que les points négatifs et vous renforcerez votre croyance au sujet de votre incompétence, ce qui risque de vous déprimer. Si vous êtes certain de faire du bon travail, vous allez entendre les compliments qu'il vous fait et ses remarques négatives seront même perçues comme des critiques constructives qui vous inciteront à vous améliorer. Vos croyances influencent votre perception de la réalité et ce que vous ressentez. Alors, pourquoi choisir des croyances qui vous apporteront une vision déprimante de la réalité ? Pourquoi choisir des croyances qui vous limiteront dans votre vie, alors que vous pouvez choisir des croyances positives et stimulantes ?

La croyance vraie, celle qui aura un impact sur votre vie, est celle que vous choisirez de structurer dans votre mémoire. Vous avez le pouvoir de choisir vos croyances. N'oubliez pas qu'elles influenceront vos sentiments et vos actions.

Identifiez vos croyances

Comme vos croyances ont un impact important sur votre vie, vous devez en prendre conscience. Il vous faut les connaître et choisir, c'est-à-dire décider lesquelles vous garderez et lesquelles vous modifierez. Rappelez-vous que vous n'avez pas de pouvoir sur ce qui est inconscient ; quand vous prenez conscience de vos croyances, vous pouvez les modifier, donc modifier vos comportements. Si vous contrôlez vos croyances, vous vous appropriez le pouvoir de l'inconscient et vous disposez d'un immense pouvoir sur vous-même et sur la sorte de vie que vous mènerez.

La plupart des croyances étant inconscientes, il est parfois difficile de les identifier. Le langage permet de démasquer les croyances inconscientes. L'être humain est un être de communication et les mots revêtent une importance extrême. Les mots sont des signaux : ils signalent ce qui se passe à l'intérieur de la personne, dans son corps, sur le plan de ses émotions et aussi dans son esprit, conscient et inconscient. Écoutez les mots que vous utilisez : ils expriment entre autres vos croyances. Les métaphores, ces expressions imagées, sont particulièrement riches d'enseignement et dévoilent souvent des ensembles de croyances. Pensez à des métaphores comme « La vie est un cadeau » et « La vie est un dur combat ». Elles évoquent des croyances très différentes au sujet de la vie et ont un impact très différent sur une personne. Identifiez vos croyances et vous pourrez les modifier grâce à des mots.

Voici un exemple d'exercice pour identifier certaines de vos croyances. Dans un journal de bord, reproduisez ce tableau et inscrivez les mots, phrases ou métaphores que vous inspirent les thèmes suivants. Ensuite, indiquez si vous croyez que le contenu de la croyance a un impact positif ou négatif sur vous.

Thèmes	*Croyances*	*Impact*
La vie		
Les hommes		
Les femmes		
L'amour		
L'argent		
La réussite		
L'échec		
Le travail		
Qui je suis ?		

Peut-être comprenez-vous maintenant pourquoi vous n'arrivez pas à atteindre certains de vos objectifs. Peut-être avez-vous découvert certaines croyances qui vous nuisent.

Vous avez sûrement constaté que votre inconscient contient des croyances positives et des croyances négatives. Alors, malgré la présence de croyances positives, vos croyances négatives font contrepoids, ce qui peut vous ralentir et même vous paralyser. En fait, si vous ne parvenez pas à créer la vie que vous souhaitez, c'est probablement parce que votre inconscient contient plus de croyances négatives que vous ne le croyez. En reprenant les mêmes thèmes, écrivez ce qu'on vous a déjà dit de négatif à ce propos. Vous constaterez que votre inconscient a emmagasiné plus de croyances que vous ne le pensiez. Vous pouvez maintenant choisir les croyances que vous allez garder et celles que vous allez modifier. Je vous suggère de les remplacer par des croyances et des messages favorisant la réussite.

Croyances favorisant la réussite

Tout événement est une possibilité d'action et porteur d'une intention positive. (Pour tirer parti de ce qui vient de se produire.)

L'échec est une vue de l'esprit. C'est une vision « arrêt sur image » alors que la vie est en mouvement. (L'échec est temporaire.)

La réussite se décrète. (La réussite n'est pas due au hasard, elle doit être un acte volontaire.)

La vie est un jeu. (Travaillez dans un état mental de plaisir.)

Réussir nécessite de s'impliquer durablement. (Persévérez !)

Assumez tout. (Vous êtes responsable de votre vie.)

Mettez l'homme au centre de votre système de réussite. (La réussite est souvent l'affaire d'une équipe.)

Les mots sont le miroir de votre réalité intérieure. Ils peuvent aussi influencer vos émotions. Les mots ont un immense pouvoir sur vos émotions. Si vous dites à une femme « Votre robe est convenable », vous ne provoquerez sûrement pas le même impact émotif que si vous lui dites « Votre robe est superbe ». Vous avez un grand pouvoir sur les gens grâce à vos mots. Et vous avez ce même pouvoir sur vous-même, grâce à votre dialogue intérieur. Les mots que vous employez lorsque vous vous parlez (lorsque vous pensez) ont un impact sur votre état émotif.

Vous n'êtes pas toujours conscient des mots que vous employez tous les jours et encore moins de leur impact sur vos pensées et vos sentiments. Il est possible de choisir des mots qui vous feront du bien, qui vous mettront dans un état psychologique agréable et stimulant. Quand vous êtes dans un état émotif désagréable, vous pouvez modifier cet état en utilisant des expressions plus positives. Le petit tableau suivant vous suggère des formulations plus positives pour exprimer certaines émotions désagréables.

Les mots et phrases qui expriment des émotions négatives :	*Sont remplacés par :*
Je suis débordé.	Je suis très demandé.
Je suis déçu.	Je souhaite autre chose.
Ma vie est finie.	Je passe un moment difficile, mais c'est temporaire.
J'ai échoué.	J'ai appris quelque chose.
C'est décevant.	C'est différent.
Je suis perdu.	Je cherche mon chemin.

Amusez-vous à compléter ce tableau dans votre journal de bord !

Quelles sont vos expressions négatives ?	*Par quelles expressions les remplacerez-vous ?*

Les mots employés peuvent aussi amplifier des états émotifs agréables. Voyez les exemples suivants et, toujours dans votre journal de bord, amusez-vous à compléter ce tableau.

Les expressions et mots positifs :	*Se transforment en :*
Bon (goût)	Délicieux
Intéressant	Positivement génial !
Déterminé	Une dynamo que rien n'arrête
Chanceux	Une bénédiction du ciel
Bon (résultat)	Excellent
Ça va	C'est super !
Rapide	Fulgurant
Intelligent	Brillant

Quelles sont vos expressions habituelles ?	*Par quelles expressions amplificatrices les remplacerez-vous ?*

Pour avoir une vie heureuse, il vous faut faire en sorte que chaque moment que vous vivez soit le plus heureux possible. En utilisant les mots appropriés, vous avez le pouvoir de modifier vos états émotifs et de les rendre plus agréables. Il ne s'agit pas de nier les états émotifs désagréables. Dans certains cas, il faut les explorer, en comprendre le sens, découvrir ce qu'ils cachent (les blessures, les croyances, etc.). Par la suite, il est alors possible de modifier ces états émotifs désagréables en utilisant des mots plus positifs.

Les mots que vous utilisez expriment vos croyances conscientes et inconscientes sur la réalité et sur vous-même. En prenant conscience des mots que vous utilisez, vous pouvez découvrir si vos croyances sont des atouts ou des obstacles dans votre cheminement et modifier les croyances qui ne vous sont pas favorables.

Les peurs

La plupart des gens ont des peurs. Dans certains cas, elles résultent de mauvaises expériences passées. Par exemple, une personne peut avoir peur des chiens après avoir été mordue. Cependant, dans beaucoup de cas, il s'agit de peurs liées à des appréhensions. La personne a peur de ce qui risque de se produire dans le futur. La nature de ces appréhensions peut être liée aux croyances de la personne. Ainsi, une personne qui croit que l'échec est inacceptable aura peur de l'échec.

La peur peut avoir des effets différents sur les gens. Les artistes connaissent bien le trac qui précède leur entrée en scène. Même s'ils tentent de le diminuer, ils en acceptent la présence et lui reconnaissent même un effet stimulant. D'autres personnes, au contraire, éprouvent une peur si intense qu'elles se sentent paralysées. Pour elles, la peur est une ennemie.

Il existe une multitude de peurs. Les gens qui effectuent des changements dans leur vie risquent de devoir affronter certaines peurs particulières telles que la peur de l'inconnu, la peur de l'échec et la peur de la réussite.

Depuis la nuit des temps, les êtres humains tentent de maîtriser leur environnement. La plupart se sentent inquiets lorsqu'ils doivent faire face à l'inconnu. Chez certaines personnes, la peur de l'inconnu est tellement intense qu'elle les amène à préférer le statu quo et à s'opposer à tout changement. Chez d'autres, cette peur les amène à tenter de contrôler de façon excessive leur environnement. En fait, la peur de l'inconnu masque souvent la crainte de ne pas être capable de faire face à la situation. Les gens qui manquent de confiance en eux ressentent souvent une grande peur de l'inconnu. Lorsqu'ils acquièrent plus de confiance en eux, leur peur de l'inconnu diminue.

Beaucoup de personnes ont peur de l'échec. Pour elles, l'échec est associé à la dévalorisation, à l'humiliation ou au rejet. Les situations d'échec sont vécues très difficilement et les individus tentent de l'éviter à tout prix. Il est possible d'atténuer cette peur en développant une autre perception de l'échec. Ainsi, une personne qui conçoit l'échec comme une situation d'apprentissage enrichissante a moins peur. Elle peut profiter de la situation pour développer une meilleure connaissance d'elle-même et acquérir de l'expérience.

Il peut paraître surprenant que certaines personnes éprouvent la peur de la réussite. Pour elles, la réussite est associée à des éléments désagréables. Ainsi, elles peuvent craindre la réaction de leur entourage dont elles se distingueront de façon marquée. Elles peuvent redouter d'être rejetées ou de devenir l'objet de jalousie ou de mesquinerie. Chez plusieurs, la réussite est associée à la perte de l'amour.

Chacune de ces peurs, et encore plus leur combinaison, peut avoir un effet paralysant sur une personne qui tente d'effectuer des changements dans sa vie. L'action est le seul remède de la peur : il est en effet important que la personne passe à l'action malgré sa peur. La peur ne disparaît pas toute seule. C'est l'expérience de la réussite qui la fait disparaître. Ainsi, une personne cessera d'avoir peur de l'eau après avoir nagé, pas avant.

Il faut cependant bien choisir vos actions. En effet, beaucoup de gens agissent afin d'éviter ce qui leur fait peur. Et leurs actions les mènent tout droit à l'objet de leur peur. C'est ce que certains auteurs appellent le syndrome de l'échec. En voici une illustration. Vous allez à une soirée et ne connaissez personne. Vous n'approchez personne, de peur de paraître ridicule et d'être rejeté. Cependant, comme vous adoptez une attitude réservée, personne ne vient vers vous. À la fin de la soirée, vous n'avez parlé à personne. Il est fort probable qu'en plus d'avoir passé une soirée ennuyante, vous vous sentiez mis de côté et rejeté. Le comportement adopté (ne pas parler aux gens) vous a mené tout droit à l'objet de votre peur (vous sentir rejeté). S'il est important d'agir lorsque vous avez peur, il ne faut pas nécessairement faire ce que vous dicte votre peur.

Il est cependant possible de transformer vos peurs en alliées. Une peur peut être un sage conseiller qui vous incite à prendre des précautions supplémentaires, augmentant ainsi vos chances de réussite. Lorsque vous constatez que votre peur vous empêche d'avancer ou que vous êtes coincé dans un syndrome d'échec, il est plus que temps que vous vous en occupiez.

Pour transformer une peur en alliée, il faut d'abord la reconnaître et l'accepter. Accepter une peur signifie reconnaître sans jugement l'existence de cette peur. Cela ne signifie pas que vous êtes content d'avoir cette peur, mais cela implique que vous cessiez de vous juger ridicule ou idiot parce que vous êtes effrayé. En acceptant votre peur, vous pourrez l'explorer et la travailler (plutôt que de vous y soumettre). Les questions suivantes peuvent vous aider :

➢ De quoi avez-vous vraiment peur ?

➢ Cette peur est-elle réaliste ? Y a-t-il des éléments objectifs qui démontrent que vous avez raison d'avoir peur ?

➢ Que pouvez-vous faire concrètement pour éviter que ce que vous craignez se produise ? Quelles précautions pouvez-vous prendre ?

➢ Comment agiriez-vous si vous n'aviez pas cette peur ?

Les réponses à ces questions peuvent vous aider à prendre des précautions supplémentaires pour améliorer vos stratégies et diminuer les risques d'échec. Elles vous permettent surtout de transformer votre peur en source d'informations utiles plutôt qu'en agent paralysant. Ainsi, en travaillant votre peur, vous pouvez identifier les précautions à prendre pour éviter que ne se produise ce qui vous effraie. Votre peur devient ainsi un conseiller qui vous prodigue de sages conseils. Cependant, en obéissant à ce que votre peur vous suggère de faire (vous sauver, vous isoler, etc.), vous risquez d'enclencher le syndrome de l'échec.

Donc, veillez à faire de vos peurs de sages conseillers et non des maîtres tyranniques.

Après avoir pris les précautions nécessaires, il importe de vous concentrer sur votre objectif. En équitation, après avoir bien évalué l'obstacle et guidé le cheval, vous devez regarder au-delà de l'obstacle. En voiture, vous regardez droit devant et non pas tous les obstacles sur le parcours. Concentrez-vous sur votre but. Il s'agit d'atteindre votre objectif plutôt que de vous préoccuper de ce qui pourrait vous en empêcher. Passez à l'action. Attendre ne fait qu'augmenter la peur. La personne qui a peur de l'eau sera plus anxieuse si elle tourne autour de la piscine. Sa peur sera moindre lorsqu'elle sortira de la piscine.

Il existe une multitude de peurs qui peuvent freiner un individu. Faire face à ses peurs demande du courage et une certaine dose d'audace. Mais quelle fierté par la suite lorsque vous atteignez vos objectifs ! Ne dit-on pas qu'il n'y a pas de gloire à vaincre sans péril ? Bien entendu, je ne souhaite pas que vous vous transformiez en kamikaze qui prend des risques inutiles et non calculés. Cependant, pour avancer dans la vie, il vous faut accepter de sortir de votre zone de confort avec toutes les appréhensions que cela vous fera vivre. Une vision claire du but à atteindre et une démarche stratégique apaisent les peurs et donnent le soutien nécessaire à celui qui se lance dans la grande aventure de créer sa vie.

Résumé

Il existe deux grandes catégories d'obstacles intérieurs : les croyances et les peurs.

Une croyance est une représentation de la réalité accompagnée d'un sentiment de certitude, sans avoir été réellement vérifiée. La plupart de vos croyances sont inconscientes. Elles influencent cependant vos attitudes, vos perceptions et vos comportements. Une croyance peut être bénéfique ou néfaste pour vous. Il est donc important de connaître vos croyances afin d'évaluer leur impact sur vous. Un court exercice vous a permis d'identifier certaines de vos croyances sur des thèmes importants. Il vous est possible maintenant de commencer à effectuer un tri pour éliminer les croyances négatives qui vous nuisent. Vous pourrez alors les remplacer par des croyances positives, formulées avec soin.

Les mots jouent en effet un rôle important. Les métaphores exprimées traduisent vos croyances profondes. Et les mots ont aussi un impact important sur vos émotions. En choisissant soigneusement les mots que vous prononcez, vous pouvez transformer un état émotif désagréable ou amplifier une émotion agréable.

Les peurs constituent un autre type d'obstacle intérieur. Elles sont souvent liées à vos appréhensions et à vos croyances. La peur de l'inconnu, la peur de l'échec et la peur de la réussite surgissent souvent lors d'un changement. Les peurs peuvent être paralysantes. Elles peuvent aussi devenir de précieuses conseillères qui vous incitent à prendre des précautions supplémentaires, augmentant vos chances de réussite. En acceptant vos peurs, vous pouvez les transformer en alliées.

Il importe de vous concentrer sur votre objectif plutôt que sur les obstacles qui surgiront en cours de route. Attendre ne fait qu'augmenter vos peurs. Passez à l'action, vous en serez tellement fier ensuite.

Chapitre 5
Les cocréateurs

J'ai commencé ce livre en mettant l'accent sur la responsabilité totale et limitée de chacun de créer sa vie en faisant des choix. Votre vie actuelle est le résultat de vos choix antérieurs et votre futur sera le résultat de vos choix présents. Cependant, vous ne pouvez pas contrôler totalement votre vie. Certains événements ne sont pas directement sous votre contrôle. Comme dans une partie de cartes, d'autres joueurs interviennent dans le déroulement des événements et influencent les résultats que vous aviez pourtant soigneusement planifiés. De plus, le hasard aussi intervient dans une partie de cartes. Il vous faut donc tenir compte de ces cocréateurs lorsque vous choisissez de créer votre vie. Il vous appartient en partie de décider si ces cocréateurs sont vos adversaires ou vos partenaires de succès.

L'identification des caractéristiques des gens chanceux nous a permis de constater que ces gens ont un grand réseau d'amis. Ils ont certaines habitudes ou une forme de talent pour se faire de nouveaux contacts et ils possèdent aussi un certain magnétisme qui agit sur les autres et leur donne envie de communiquer. Les gens pour qui la chance arrive par l'intermédiaire de leur entourage sont d'un abord facile et agréable. Ils ont sincèrement envie de rencontrer d'autres personnes et de leur parler. Les êtres humains ont besoin de socialiser et la plupart en ont envie. Socialiser ne peut que vous être profitable. En développant un intérêt sincère envers les gens, vous augmentez vos possibilités de chance.

Lorsque vous allez vers les autres, la plupart vous répondront gentiment, surtout si vous leur demandez de l'aide. Il est donc possible de s'en faire des alliés qui vous soutiennent sur la voie du changement. Il peut s'agir d'amis, de membres de la famille, de groupes d'entraide, de professionnels, etc. Peu importe le type d'appuis que vous irez chercher, une assistance externe et un soutien social constituent des atouts précieux pour vous aider à progresser vers la réalisation de votre mission. En fait, des partenaires de succès constituent l'une de vos plus précieuses ressources. Les autres êtres humains sont donc des cocréateurs importants de votre vie. Soignez vos relations, faites-en des alliés afin d'augmenter vos chances de réussir votre vie. Les grands gagnants le disent souvent : le succès est le résultat du travail d'équipe.

Miser sur vos alliés signifie aussi faire appel à vos forces internes et à vos qualités, qui ne demandent qu'à être mises à profit pour vous faire progresser. Il existe en vous des ressources ignorées que vous n'avez pas exploitées. Des qualités que vous exploitez, par exemple, dans le cadre de votre travail, et que vous oubliez d'utiliser dans votre vie personnelle. Il faut donc faire appel à vos ressources internes qui sommeillent et n'attendent qu'à être sollicitées pour vous aider à atteindre vos objectifs. Vous allez ainsi profiter de ces caractéristiques que vous aviez refoulées. Vous constaterez avec surprise à quel point elles peuvent vous être profitables.

Il y a un autre facteur qui participe de façon importante à la création de votre vie : le hasard, alias la vie, alias l'Univers. Il est possible de s'en faire un allié ou, au contraire, de le combattre. Lorsque vous jouez aux cartes, il est important que vous compreniez les règles du jeu. Au jeu de la vie, la partie sera plus facile si vous en connaissez les règles.

Beaucoup de livres à connotation spirituelle parlent du rôle de l'Univers et présentent des lois dites universelles : lois de l'abondance, lois de l'Univers, les clés spirituelles, les lois cosmiques, etc. Le nombre de lois présentées et la formulation de chacune varient en fonction des auteurs. Mais le message fondamental reste le même : vivez en accord avec la vie et non contre elle.

J'ai choisi de vous présenter très brièvement neuf de ces lois[6]. Elles s'appuient sur l'observation de la nature et n'ont pas de connotation sectaire ou très ésotérique. Les principes de vie suggérés s'appliquent concrètement dans le quotidien.

---

6. La nomenclature de ces lois est tirée du livre de Dan MILLMAN. *Les 12 lois de l'Esprit*, Montréal, Éditions du Roseau, 1996.

1. La loi de l'équilibre
2. La loi des choix
3. La loi de la méthode
4. La loi de la présence
5. La loi des attentes
6. La loi de l'intégrité
7. La loi de l'action
8. La loi des cycles
9. La loi du lâcher-prise

La loi de l'équilibre : trouver la voie du milieu

L'équilibre s'applique à votre être entier : votre corps, votre intellect et vos émotions. Quoi que vous entrepreniez, vous pouvez en faire trop ou trop peu, et si le mouvement de pendule dans votre vie et vos habitudes oscillent trop d'un côté, ils oscilleront inévitablement de l'autre à un moment donné. Des comportements extrêmes cristallisés en habitude créent un grand stress, alors privilégiez l'équilibre.

L'équilibre commence avec la respiration. Si celle-ci est arythmique, vos émotions seront parallèlement en déséquilibre. En inspirant, vous trouvez l'inspiration. En expirant, vous trouvez le relâchement. En inspirant, vous recevez. Si vous recevez plus que vous ne donnez, vous ressentez ce déséquilibre sous la forme d'un besoin de toujours vouloir rendre aux autres ce qu'ils vous ont donné. En expirant, vous donnez. Si vous donnez plus que vous ne recevez, vous vous sentez vidé et, tôt ou tard, vous n'aurez plus rien à donner.

La loi des choix : s'approprier son pouvoir

Cette loi, c'est la base de notre pouvoir de créer la vie que nous souhaitons. Elle affirme que votre futur dépend en grande partie de vos choix présents. Le pouvoir de choisir est une grande responsabilité qui représente à la fois un fardeau et un bienfait : le choix est entre vos mains.

Peu importe ce que la vie vous amène, vous choisirez la façon dont vous réagirez intérieurement. Car même si nous n'avons pas toujours le contrôle sur les circonstances, nous avons la capacité de choisir nos réactions face aux événements. Nous pouvons résister, repousser ce qui nous arrive et pleurer sur notre sort ou y faire face et l'accueillir, nous épanouissant ainsi dans l'instant présent.

Si vous ne réalisez pas que vous avez le pouvoir de dire non, vous ne pourrez jamais dire oui, dans quelque domaine que ce soit. Ainsi, c'est seulement lorsque vous vous appropriez le pouvoir de mettre fin à une relation que vous pourrez totalement vous y engager. Certaines personnes qui ont oublié qu'elles avaient le pouvoir de choisir se sentent prises au piège par une relation.

La loi de la méthode : prendre la vie un jour à la fois

La méthode transforme le temps, enseigne la patience et repose sur les bases solides d'une préparation minutieuse. Elle transforme le chemin de vie en une série de petites étapes qui, atteintes l'une après l'autre, conduisent vers n'importe quel but. En fragmentant toute tâche en des étapes plus abordables, vous n'avez plus à attendre d'être rendu à destination pour connaître la réussite, puisque ces étapes constituent elles-mêmes une série de petits succès sur votre route.

Le trésor ne se trouve pas seulement en fin de course: c'est le processus lui-même qui devient la récompense. Si vous centrez votre attention uniquement sur la destination, vous aurez toujours l'impression de ne jamais vous en rapprocher, ce qui pousse nombre de gens à abandonner leurs buts, surtout quand des obstacles surgissent.

Lorsque la discipline et la patience font équipe, elles forment une troisième entité, la persévérance, qui supporte tous les hauts et les bas et permet de mener à bien toutes les intentions. L'enthousiasme donne l'allure, mais la persévérance permet d'atteindre le but. La méthode, la patience et la persévérance sont les clés qui donnent accès à n'importe quelle destination.

La loi de la présence: vivre dans l'instant présent

Le temps est un grand paradoxe car il s'étire entre un passé et un futur qui ne sont pas réels, sauf dans notre esprit. La vérité profonde, c'est que vous ne disposez que de l'instant présent. Mentalement, vous pouvez vous projeter dans ce que vous appelez le passé ou le futur, mais vous ne pouvez rien vivre d'autre que le moment présent. Ce que vous avez fait ce matin, hier ou l'an passé s'est effacé, sauf de votre esprit. Ce qui est à venir n'est encore qu'un rêve. Il ne vous reste donc que le moment présent.

Quand vous avez un problème, cela a toujours à voir avec le passé ou le futur. Le passé et le futur ne sont que les mauvaises habitudes de votre mental. Vous permettez aux problèmes de persister dans votre présent parce que vous leur accordez attention et énergie, vous les laissez libres de demeurer dans votre tête. La loi de la présence vous enseigne une chose : l'importance de ce que vous faites aujourd'hui, car vous y accordez une journée de votre vie. Laissez cette loi balayer de votre esprit tous débris inutiles pour vous permettre de retrouver un état de clarté, de simplicité et de paix intérieure. Il est possible d'appliquer la loi de la présence de façon très pratique pour éliminer les regrets, les préoccupations et la confusion.

Lorsque vous sentez que les choses se précipitent, retrouvez votre calme dans le présent en prenant une profonde inspiration et revenez dans l'ici, dans le maintenant. Votre capacité à vous concentrer sur l'instant présent croîtra avec la pratique.

La loi des attentes : donner plus d'ampleur à sa réalité

Avant que quoi que ce soit se manifeste dans ce monde, cela apparaît tout d'abord sous la forme d'une pensée ou d'une image dans l'esprit d'une personne. L'énergie suit la pensée. Vous vous dirigez vers ce que vous pouvez imaginer, et non pas au-delà. La loi des attentes concerne la façon dont vos croyances et vos convictions profondes viennent façonner votre expérience. Ce en quoi vous croyez crée votre expérience et lui donne sa couleur.

Il est important d'examiner toutes vos vieilles convictions et suppositions, de remplacer les doutes autodestructeurs par des images fraîches et de créer de nouvelles croyances qui se fondent sur des intentions bien nettes. En dépassant vos croyances les plus profondes, vous changez votre expérience de vie.

Les véritables problèmes existent. Mais il semble plus sage de centrer votre attention sur les dénouements positifs et sur le potentiel humain. La loi des attentes nous dit que plus vous mettez l'accent sur un problème, plus il s'amplifie. Il faut donc centrer votre attention sur les solutions, pas sur les problèmes.

La loi de l'intégrité : vivre sa propre vérité

Être intègre, c'est vivre et agir selon la loi spirituelle et selon votre vision la plus élevée, malgré les impulsions qui vous poussent à faire le contraire. C'est la façon dont vous vous comportez quand il n'y a personne qui vous regarde.

Être intègre veut dire vous connaître et être vous-même afin que vos actions soient authentiques et qu'elles correspondent à vos intentions les plus nobles. Du plus profond de votre intégrité, vous reconnaissez, acceptez et exprimez votre véritable réalité intérieure, et vous inspirez les autres par l'exemple. Il est insensé de parler d'intégrité aussi longtemps que vous n'avez pas compris vos propres motivations, valeurs et motifs les plus profonds, tant que vous n'acceptez pas qui vous êtes et que vous n'arrêtez pas d'espérer ou de prétendre être quelqu'un d'autre.

Être intègre veut dire aussi être intégré, afin que votre corps, votre esprit, vos émotions et vos attitudes se complètent les uns les autres et forment un tout qui soit plus grand que la somme de ces éléments. Mais une fois que vous acceptez votre humanité, être intègre n'est plus ardu.

La loi de l'action : entrer dans la danse de la vie

Il faut plus que des rêves et des bonnes intentions pour vivre dans ce monde : il faut de l'action. Ce monde est en fait le royaume de l'énergie et de l'action. Peu importe ce que vous savez ou qui vous êtes, peu importent vos talents ou le nombre de livres que vous avez lus, seule l'action vous permet d'actualiser votre potentiel.

Plusieurs personnes comprennent intellectuellement des concepts comme l'engagement, le courage et l'amour, mais ne peuvent les connaître véritablement que lorsqu'elles les actualisent. L'action vous amène à la compréhension et transforme la connaissance en sagesse.

Toute loi comprend également son opposé, ne serait-ce qu'à l'état latent. La loi de l'action vous apprend aussi qu'il est sage de rester tranquille et immobile, que l'action peut également se trouver dans l'inaction. En restant immobile malgré les désirs et les impulsions qui vous poussent à agir, vous pouvez parfois faire preuve d'un courage, d'une patience et d'une sagesse infinis. Pour savoir quand agir et quand ne pas agir, écoutez la sagesse de votre cœur. Et agissez avec courage pendant que vous avez encore un corps.

La loi des cycles : danser au rythme de la nature

Le monde de la nature évolue selon des rythmes, des schémas et des cycles... Les saisons ne se bousculent pas pour se succéder. Chaque chose arrive à point nommé. Tout croît, décroît et croît encore comme le mouvement ascendant et descendant des vagues, dans le cycle infini du temps. Le changement est l'unique permanence ; il advient selon ses propres modalités et au moment propice.

Ce n'est pas le changement lui-même qui est difficile. Il se produit aussi naturellement qu'un lever de soleil. C'est vous qui cherchez à établir des routines bien connues pour avoir une sensation de contrôle et d'ordre. La loi des cycles vous rappelle que vous devez changer comme le font les saisons, afin que vos vieilles habitudes ne mènent pas vos vies, que votre passé ne devienne pas votre futur et que la force d'entraînement du changement vous amène à connaître une conscience, une sagesse et une paix plus grandes.

Il y a un moment propice et un moment inopportun pour chaque chose. L'énergie monte et descend. Une pensée ou une action qui prend naissance au moment où l'énergie monte et accélère son mouvement d'entraînement fera son chemin facilement pour arriver jusqu'à son aboutissement. Une pensée ou une action qui a vu le jour dans un mouvement cyclique descendant aura un impact moindre. C'est ici que la loi des cycles vient se fondre à la loi de l'action pour vous apprendre que la patience constitue l'essentiel et le meilleur de la sagesse, sagesse de savoir quand agir ou quand rester inactif, quand se laisser porter par l'énergie d'un cycle ascendant ou quand se retirer en soi et attendre que la prochaine vague arrive.

La bague de Salomon portait une inscription qui devait être juste et vraie en toutes circonstances, soulager la souffrance du porteur et lui conférer sagesse et vision infinies. L'inscription disait : « Ceci aussi finira par passer. »

La loi du lâcher-prise : accueillir la volonté supérieure

Lâcher prise, c'est accepter cet instant, ce corps et cette vie à bras ouverts. Ne gaspillez pas votre énergie à résister aux circonstances qui sont hors de votre contrôle ou à vous laisser tourmenter par elles. Beaucoup plus qu'une acceptation passive, le lâcher-prise utilise le moindre défi comme outil de croissance spirituelle et de développement de la conscience.

Même si la loi du lâcher-prise veut dire que vous acceptez quoi que ce soit qui arrive dans votre vie, cela ne veut pas dire que vous devez tolérer passivement ce que vous n'aimez pas, ni ignorer l'injustice, ni encore souffrir d'être contrôlé ou de devenir une victime. Le véritable lâcher-prise est actif, positif, affirmatif. C'est un engagement créatif qui vous amène à faire bon usage de toute situation dans une attitude d'appréciation, d'abandon. Cette loi vous amène à transformer vos émotions, à lâcher prise en changeant de perspective.

Non seulement vous acceptez les hauts et les bas de la vie, mais vous acceptez également qui vous êtes, vous acceptez votre corps, vos pensées et vos émotions. La loi du lâcher-prise respecte le caractère sacré de chaque âme et n'implique pas de renoncer à une partie de vous, à vos désirs, à vos valeurs et à vos préférences. Il vous suffit simplement de ne pas entraver votre propre chemin.

Bien sûr, il n'est pas toujours facile d'appliquer ces lois. Mais il est encore plus pénible et souffrant de vivre à l'encontre de celles-ci. Elles vous permettent de vivre en harmonie avec vous-même et avec la réalité. Et quoiqu'elles soient porteuses d'une sagesse infinie, elles ne vous dispensent pas d'agir pour créer la vie que vous souhaitez. La loi de l'attente vous incite à dépasser vos croyances limitatives; la loi de l'action stipule que vous devez agir ; la loi de la méthode vous indique comment. Dans la deuxième partie de ce livre, vous verrez comment la loi de la méthode se concrétise dans la démarche stratégique proposée.

Résumé

Comme dans une partie de cartes, d'autres joueurs et le hasard interviennent dans le déroulement des événements et influencent les résultats que vous aviez pourtant soigneusement planifiés. Il vous faut donc tenir compte de ces cocréateurs lorsque vous choisissez de créer votre vie.

Socialiser ne peut que vous être profitable. En développant un intérêt sincère envers les gens, vous augmentez vos possibilités de chance. De plus, les gens se feront un plaisir de vous aider. Des partenaires de succès constituent l'une de vos plus précieuses ressources. Les grands gagnants le disent souvent : le succès est le résultat du travail d'une équipe.

Miser sur vos alliés signifie aussi faire appel à vos forces vives internes et à vos qualités inexploitées. Les caractéristiques que vous aviez refoulées peuvent vous être profitables.

Il y a un autre facteur qui participe de façon importante à la création de votre vie : le hasard, alias la vie, alias l'Univers. Il est possible de s'en faire un allié ou au contraire de le combattre. Au jeu de la vie, la partie sera plus facile si vous en connaissez les règles. Neuf lois s'appuient sur l'observation de la nature :

1. La loi de l'équilibre ;
2. La loi des choix ;
3. La loi de la méthode ;
4. La loi de la présence ;

5. La loi des attentes ;
6. La loi de l'intégrité ;
7. La loi de l'action ;
8. La loi des cycles ;
9. La loi du lâcher-prise.

Deuxième partie

La démarche stratégique

Chapitre 6

Un rêve de vie

C'est parce qu'un jour Walt Disney a rêvé de Disney World que des milliers d'enfants (et leurs parents) peuvent maintenant s'y amuser. Le rêve est le début de tout. L'idée est la première étape du processus de création de votre vie. Par la suite, il s'agit, grâce à vos efforts soutenus, de transformer ce rêve en projet puis en réalité concrète. S'il est important de se fixer des buts et de tenter de les atteindre, encore faut-il que ceux-ci donnent un sens à votre vie. Il faut donc donner à votre vie une direction qui ait du sens, qui soit en accord avec qui vous êtes et ce que vous êtes venu faire sur terre. C'est ce qu'on appelle la mission personnelle.

La mission personnelle

La mission personnelle reflète vos besoins et vos instincts fondamentaux, ceux qui proviennent de votre âme. La mission découle de votre être, elle s'enracine dans votre identité profonde. La connaissance de soi est le facteur principal de la découverte de votre mission.

La formulation de votre mission décrit la manière dont vous vous épanouissez dans une action correspondant à votre identité, au service d'une communauté. La mission est effectivement tournée vers les autres. Lorsque vous accomplissez votre mission, vous rendez nécessairement des services à la communauté. La mise en œuvre de vos talents profite donc à votre entourage.

La mission personnelle peut revêtir plusieurs formes. Dans certains cas, il suffit d'apporter des modifications à son travail : changer de milieu, se perfectionner, travailler à son compte, mettre davantage l'accent sur le travail d'équipe, découvrir une nouvelle raison d'être à ce que l'on fait, etc.

Parfois, un changement d'attitude est nécessaire : devenir plus créateur, plus compatissant, plus encourageant, moins craintif, plus entreprenant, plus engagé, plus satisfait, plus porté à exprimer sa gratitude. Certaines personnes iront jusqu'à changer de carrière ou d'emploi pour répondre à un appel persistant de leur âme : se mettre au service des autres, s'engager en politique, faire de la coopération internationale, trouver une nouvelle forme d'expression artistique... Accomplir votre mission peut même signifier de choisir un style de vie totalement nouveau : se marier, avoir un enfant, vivre à la campagne, se joindre à une communauté de gens désireux de partager les mêmes valeurs, se trouver un nouveau partenaire, etc.

Une mission ne se choisit pas, elle se reconnaît puisqu'elle est déjà inscrite au plus profond de votre être.

Votre tâche consiste à laisser votre mission prendre place en vous. La mission émerge de l'intérieur de soi, de cette zone intemporelle, siège de la sagesse. J'appelle cette zone l'Essence de l'être, votre nature profonde, votre centre (ou ce que certains auteurs appellent le soi). La mission a quelque chose de permanent. Elle n'est pas essentiellement transformable au cours de la vie, bien qu'elle puisse se préciser, se concrétiser, s'étendre, profiter à un plus grand nombre de personnes. Et quand une personne agit en harmonie avec sa mission, celle-ci devient un phare dans sa vie : elle se fait sagesse de l'âme, lui permettant de prendre de bonnes décisions, de choisir ses vrais amis et de s'engager dans des activités épanouissantes.

Personne ne peut vous révéler votre mission. Vous seul êtes capable de la découvrir. Certains aimeraient bien être rassurés sur leur vocation ! La découverte de votre mission est le fruit d'un processus de réflexion solitaire, souvent accompagné de la crainte de vous tromper. La mission se laisse discerner peu à peu. Elle se développe lentement, parallèlement à la croissance de l'être.

La révélation de la mission se fait habituellement très discrète, empruntant de multiples subterfuges. Elle peut s'annoncer par des signes extérieurs : redécouvrir un livre qu'on avait laissé dans un coin, rencontrer par hasard une personne et discuter d'un sujet captivant, s'inscrire à un cours ou à un atelier de formation sans vraiment avoir d'intérêt particulier, accepter une tâche qui vous semblait audessus de vos capacités, tomber malade, subir un accident ou un divorce, être témoin d'une situation sociale pénible qui vous ébranle, etc.

La mission peut se manifester sous divers déguisements : un idéal à poursuivre, une passion pour un certain type d'activité, un désir profond et persistant, etc. Elle peut aussi s'annoncer par des états d'âme que les gens souhaitent parfois ignorer : ruminations persistantes, aversion pour un travail, sourds élans de conscience, rêves éveillés, etc. Le jour où vous vous arrêtez pour déchiffrer ces signes, vous trouvez votre mission.

Quelquefois, l'orientation profonde de votre âme s'imposera d'une façon plus convaincante. Cela peut prendre la forme d'un appel clair, d'une émotion bouleversante, d'une inspiration soudaine, d'une occasion inespérée, d'une rencontre imprévue, d'une situation sociale qui vous interpelle, etc. Quand vous manifestez un intérêt récurrent, une fascination tenace pour un genre de vie ou pour une activité particulière, vous pouvez conclure à l'existence d'une mission et de son profil. Paradoxalement, l'attrait ressenti s'accompagne souvent d'une grande appréhension. Cela aussi est le signe que vous approchez de la découverte de votre mission. Ce phénomène est très visible en thérapie : lorsque les gens sont sur le point de faire un pas décisif dans leur cheminement, ils ressentent de l'anxiété et les résistances émergent fortement.

Découvrir les aspirations de votre âme et vous acquitter de votre mission vous permettra de trouver un sens à votre vie. Vous aurez le sentiment d'être vous-même, d'expérimenter l'unité profonde de votre être et de mener une vie authentique. Enfin, vous aurez la satisfaction d'exercer une influence bienfaisante sur votre entourage. Vous vivrez une existence marquée par un grand sentiment de plénitude.

On reconnaît facilement deux catégories de gens qui ne vivent pas leur mission : les premiers sont des touche-à-tout qui ne font pas la distinction entre l'essentiel et l'accessoire ; ils se dispersent dans des activités variées étourdissantes. Ils ont de la difficulté à dire non aux sollicitations de leur entourage et peuvent finir par être victimes de *burnout* ou de dépression. Malgré le fait qu'ils soient toujours occupés, ils ont l'impression de tourner en rond ou de ne rien faire d'important. Et de fait, ils ne font pas ce qui est important pour eux. Les personnes de la seconde catégorie éprouvent une sensation de vide existentiel. Elles tentent de combler ce vide par différents succédanés (alcool, drogue, divertissement fébrile, travail excessif). Elles parviennent parfois à s'étourdir et à oublier leur malaise, mais elles sont incapables de s'arrêter car l'angoisse les rattrape. Ces deux types de personnes ne parviennent pas à réaliser leur potentiel psychologique et spirituel, et cela peut les affecter tant sur le plan émotif que sur le plan physique.

À l'inverse, la découverte de sa mission produit un effet polarisant sur l'ensemble de la vie d'une personne. La mission devient pour elle une sagesse de l'âme. Elle lui apprend à « con-centrer » ses énergies et ses ressources et à rejeter ce qui pourrait la distraire de son projet de vie. Elle élimine les distractions, les tentations de l'immédiat, les divertissements inutiles, la dispersion et tout ce qui pourrait entraver la réalisation de sa mission. C'est une source de motivation extrêmement puissante qui permet à la personne de faire tous les efforts nécessaires pour atteindre ses objectifs. La personne qui a découvert sa mission y trouve des raisons de vivre et d'être heureuse, quels que soient les obstacles, les difficultés ou les souffrances auxquels elle fait face.

Il y a deux périodes où la mission se manifeste plus particulièrement : l'adolescence et le mitan de la vie.

L'adolescence est une période féconde en intuitions sur la mission personnelle. C'est à cette époque que le jeune veut refaire le monde et il a un aperçu de la façon dont il va s'y prendre pour y parvenir. Malheureusement, la plupart des gens oublient ou négligent ces intuitions, ces aperçus de leur avenir. Ils se laissent happer par les exigences de la vie en société : étudier les matières scolaires obligatoires qui les intéressent peu, entrer en compétition, gagner leur vie et celle de leur famille, obtenir des postes de prestige, etc. Ils se laissent accaparer par la vie extérieure plutôt que de rester centrés sur leur vie intérieure et les aspirations de leur âme. Mais les rêves de jeunesse ne vieillissent pas et vous rattrapent plus tard, en particulier au mitan de la vie.

Le mitan de la vie est un autre moment privilégié pour la prise de conscience de votre mission. Vous passez à la deuxième partie de votre existence, faisant le bilan de ce que vous avez accompli durant la première partie. Peu de gens sont pleinement satisfaits d'eux-mêmes et de ce qu'ils ont réalisé. La plupart constatent qu'ils ont renoncé à certains de leurs rêves, troqués contre un mode de vie qui ne les satisfait pas vraiment. Certains vont éprouver une grande peur de la mort, craignant de mourir avant d'avoir vraiment vécu, c'est-à-dire d'avoir osé être eux-mêmes sans crainte du jugement d'autrui.

Plusieurs voudront alors effectuer de nombreux changements dans leur vie. C'est la fameuse crise de la quarantaine. Ces gens se méprennent souvent sur ce qu'il faut changer. Ils se contentent de modifier des choses qui leur sont extérieures telles que leur emploi ou leur conjoint. Ils tireraient un plus grand profit à se poser des questions fondamentales : « Qui suis-je ? » « Quel est le rêve de ma vie ? » et « Qu'est-ce que je veux faire du temps qu'il me reste à vivre ? » Il ne s'agit pas de tenter de répéter les exploits de jeunesse mais bien de plonger à l'intérieur de nous-mêmes. Le défi des gens de cet âge est d'explorer en profondeur l'univers de possibilités qu'ils ont refoulées dans leur inconscient par crainte d'être rejetés. Après avoir identifié la mission qui tente de se manifester, il faut ensuite l'accomplir. Il n'est jamais trop tard pour réaliser votre mission.

Dans la réalisation de votre mission, vous pouvez vous heurter à trois types d'obstacles : les difficultés réelles, les fausses croyances et les résistances psychologiques.

Il existe des obstacles réels qui peuvent entraver, au moins momentanément, la poursuite de votre mission : la pauvreté, la maladie, les responsabilités familiales, le manque de ressources, l'isolement, le manque de formation adéquate, etc. Ces limites sont réelles et certaines personnes ne parviennent pas à les surmonter. Toutefois, il y a aussi des personnes décidées à accomplir coûte que coûte le rêve de leur vie et qui font preuve d'une créativité, d'une ténacité et d'une ingéniosité inspirante. Lorsque vous avez besoin d'encouragement dans votre démarche, lisez les histoires de ces gens : cela peut vous aider et vous soutenir.

Le deuxième type d'entrave à la mission provient de fausses croyances concernant la nature ou la façon de découvrir votre mission. Parce que les gens ont certaines de ces croyances négatives, il leur est plus difficile de découvrir leur mission. En voici quelques-unes :

De longues études (philosophiques, théologiques ou psychologiques) vont me permettre de découvrir ma mission. La mission découle de votre être et non des livres. L'analyse intellectuelle de connaissances livresques ne peut remplacer la connaissance de soi.

Mon travail est ma mission. Tant mieux si c'est le cas. Cependant, dans beaucoup de cas, les gens choisissent leur travail en fonction de critères étrangers aux besoins de l'âme, influencés par le milieu social, la pression de l'entourage, les ressources financières disponibles, les possibilités, etc. Dans ces conditions, le travail choisi ne suscite pas l'enthousiasme et ne donne pas l'impression d'apporter une contribution au monde.

Si j'obéis à mes supérieurs, j'accomplis ma mission. Votre supérieur doit veiller aux intérêts de l'entreprise. Et il est peu probable que ces intérêts soient compatibles avec votre épanouissement. Vous seul avez la responsabilité de la réalisation de votre projet de vie.

Ma mission est de rendre les autres heureux. Personne ne peut rendre les autres heureux, chacun est responsable de son bonheur. La mission est tournée vers les autres, mais elle ne vous rend pas responsable de ce qui n'est pas sous votre contrôle. Si votre mission vous amène à prendre soin des autres, alors sa formulation doit tenir compte de ce que vous pouvez contrôler. Ainsi, peut-être que votre mission, c'est de développer un environnement favorable au développement harmonieux de vos enfants, mais vous n'avez pas de pouvoir direct sur leur bonheur.

Se centrer sur sa mission est égoïste. Une certaine dose d'estime de soi est nécessaire pour découvrir et accomplir votre mission. Par la suite, la mission étant par définition tournée vers les autres, l'entourage en profitera.

La réussite financière ou la célébrité indiquent que j'ai accompli ma mission. Il s'agit ici de la différence entre réussir sa vie et réussir dans la vie. Ce sont des critères intérieurs qui indiquent si vous accomplissez votre mission : la passion, l'enthousiasme et surtout le sentiment satisfaisant d'apporter une contribution unique au monde.

J'ai du talent pour... Cela doit être ma mission. Ce n'est pas parce que vous avez du talent comme pianiste qu'il s'agit de votre mission sur terre. Vos talents peuvent servir votre mission, mais ne la définissent pas.

J'accomplis ma mission en imitant les grands personnages. Vous pouvez vous inspirer des qualités (courage, détermination, créativité, persévérance, etc.) de grands personnages pour poursuivre votre mission. Cependant, votre être est unique et votre mission l'est tout autant.

Accomplir sa mission est difficile et exige des sacrifices pénibles. Au début, il peut vous sembler difficile d'accomplir votre mission. Vous sortez de votre zone de confort et vous pouvez ressentir de l'anxiété et avoir peur. De plus, vous devez faire des choix et parfois renoncer à certains petits plaisirs pour accéder à un plus grand bien-être. Cependant, les peurs disparaissent progressivement et les renoncements sont remplacés par un sentiment d'accomplissement et d'harmonie intérieure.

Le troisième type d'obstacle englobe les résistances psychologiques. En thérapie, il se produit des moments où les résistances se manifestent massivement. Cela signifie que le processus arrive à une étape cruciale : un enjeu majeur sera traité et un changement important s'amorce chez la personne. Une résistance farouche à la réalisation de votre mission est aussi une bonne nouvelle puisqu'elle annonce que vous êtes sollicité par un changement majeur dans votre vie. L'angoisse éprouvée indique que vous approchez de quelque chose d'important. Il faut donc accueillir les résistances, les laisser émerger, les nommer et s'en faire des alliées éventuelles dans la découverte et l'accomplissement de votre mission.

Les résistances prennent souvent la forme de peur ou de doute. La peur de réussir, d'être exposé aux critiques, aux humiliations, à l'envie, la peur d'obtenir trop de pouvoir, toutes ces peurs peuvent resurgir. Certains seront tentés de mettre leur mission de côté, se contentant d'aspirations plus modestes.

Dans d'autres cas, les gens refusent d'accepter leur mission avant d'avoir la certitude qu'il s'agit bien de la « bonne ». Ils doutent de leur inspiration et cherchent des confirmations un peu partout et parfois dans différents tests. Les tests d'orientation produisent des résultats intéressants, mais ne permettent pas de révéler pleinement la mission personnelle. L'indice le plus révélateur de l'orientation d'une personne, c'est sa passion.

Le *Petit Robert* définit la passion comme une « vive inclination vers un objet que l'on poursuit, auquel on s'attache de toutes ses forces ». Elle est donc plus qu'un intérêt ou une préférence. La passion comporte une forte charge émotive qui donne une sensation de vivre pleinement, jusqu'à se sentir survolté. Le passionné concentre tous ses efforts sur l'objet de sa passion, oubliant parfois le train-train quotidien, ses soucis, son entourage et même ses besoins biologiques les plus élémentaires. Les gens qui réussissent sont souvent passionnés par ce qu'ils font. C'est ce qui les pousse à faire l'effort supplémentaire nécessaire pour réussir. Et vous, qu'est-ce qui vous passionne ?

Découvrir sa mission personnelle

Il existe plusieurs exercices que vous pouvez faire pour découvrir votre mission personnelle. Ceux-ci vous aideront à imaginer la vie que vous aimeriez vivre et surtout la personne que vous aimeriez être. Les différents auteurs qui suggèrent ces exercices utilisent deux techniques principales : la projection dans le futur ou la rétrospective.

La projection dans le futur vous amène à imaginer votre avenir proche (un an) ou lointain (cinq ou même dix ans). Les scénarios varient selon les auteurs, mais tous utilisent une stratégie commune. Vous devez décrire le plus précisément possible vos conditions de vie et la personne que vous souhaitez être.

Les techniques rétrospectives vous amènent à effectuer un retour sur votre vie passée. Qu'il s'agisse de retrouver les rêves de votre adolescence ou d'étudier votre histoire de vie pour en identifier les éléments importants, vous cherchez des indices de votre mission dans votre passé.

L'important est de choisir la méthode qui vous convient le mieux. Dans tous les cas, ces techniques demandent que vous preniez une pause. Une période de calme est nécessaire à cette démarche de réflexion. Dans certains cas, il est possible que vous ayez une démarche d'introspection sérieuse à faire pour parvenir à découvrir votre mission.

Lâcher prise sur le passé

Votre mission concerne votre avenir. Or, certaines personnes éprouvent de la difficulté à se libérer du passé. C'est comme si elles conduisaient une voiture les yeux constamment rivés sur le rétroviseur. Il est important de retenir du passé les leçons apprises : il ne sert à rien de réinventer la roue chaque semaine. Mais il n'est pas nécessaire de garder intacte la souffrance ressentie autrefois. Certaines personnes sont prisonnières de deuils non résolus. Leurs souvenirs douloureux teintent leur présent et hypothèquent leur futur. Si elles ne parviennent pas à lâcher prise sur leur passé, elles y resteront enfermées et ne pourront se construire un avenir différent. Avant de pouvoir entrer dans une nouvelle période, vous devez vous séparer du passé en produisant du changement à l'extérieur, mais surtout à l'intérieur de vous-même.

En lâchant prise sur ce qui est terminé, en tournant vraiment la page, vous vous remettrez à aller de l'avant. Vous recommencerez à vivre dans le présent et vous pourrez alors découvrir et réaliser votre mission.

Chaque fois que vous commencez une nouvelle étape de votre vie, vous en terminez une. Chaque début indique la fin de quelque chose. Par conséquent, il y a des pertes. Ainsi, toutes les périodes de vie – naissance, enfance, adolescence, vie de couple, mariage, mitan de la vie, départ des enfants, retraite, vieillesse – débutent par la fin de l'étape précédente. Et même si vous êtes heureux de commencer cette nouvelle période, vous renoncez à ce qui caractérisait l'étape précédente. Ainsi, la personne qui se marie est probablement heureuse de le faire, mais son célibat se termine et elle en perd les avantages (et les inconvénients). Les deuils sont donc souffrants à des degrés différents en fonction des pertes subies.

Il y a différents types de pertes qui jalonnent une vie. D'abord, il y a les pertes prévisibles liées aux différentes étapes de vie. Il y a aussi les pertes accidentelles ou imprévues : perte d'un être cher, accident, divorce, congédiement, faillite, échec, chagrin d'amour, etc. Il y a aussi les pertes nécessaires pour poursuivre un idéal : quitter son pays pour devenir coopérant international, laisser un emploi pour changer de carrière, etc. Il y a aussi les pertes difficiles à cerner. La perte du sens de la vie prend la forme de la mélancolie, du vague à l'âme et de l'ennui existentiel.

La résolution de vos deuils exige de prendre conscience de vos pertes, de les nommer et de progresser à travers diverses étapes. Le nombre d'étapes à traverser peut varier selon les auteurs. Je retiens l'approche de Jean Monbourquette, qui identifie sept étapes de deuil :

1. Le choc ;
2. Le déni ;
3. L'expression des émotions ;
4. La prise en charge des tâches liées au deuil ;
5. La découverte du sens de sa perte ;
6. L'échange de pardons ;
7. L'entrée en possession de son héritage.

Dans certains cas, le processus de deuil n'est pas suffisant pour permettre à la personne de recommencer à s'investir dans sa vie. Il lui faut alors identifier et guérir ses blessures par le pardon. Ce pardon s'adresse à l'offenseur, mais surtout à la personne elle-même qui s'en veut parfois de s'être mise dans une telle situation. En l'absence de pardon, le ressentiment ravive constamment la douleur et alimente le désir de vengeance. Celle-ci peut prendre une forme active sous formes de souhaits d'actes violents envers l'autre ; elle peut aussi prendre une forme passive et insidieuse et se manifester chez la personne blessée sous la forme de dépression, de perte d'intérêt, de baisse d'estime de soi et d'autosabotage. La peur d'être blessée de nouveau peut s'installer et fermer la personne à toute perspective de risque et de succès. Elle a perdu confiance en elle-même et ne voit plus comment réaliser son rêve. La recherche de la mission s'avère impossible avant la guérison des blessures et le pardon.

Chez certaines personnes, c'est justement le processus de guérison des blessures qui leur a permis d'identifier leur mission. Des blessures importantes peuvent en effet changer le cours d'une vie et lui donner un nouveau sens. Ainsi, les parents d'enfants tués par les armes ou par des chauffards ivres choisissent parfois de militer pour éviter que d'autres drames similaires ne se produisent. La guérison d'une blessure aussi douloureuse permet à ces parents de donner un nouveau sens à leur vie, de se découvrir une nouvelle mission personnelle.

Après avoir complété vos deuils et vos pardons, vous entrez dans une période de transition. Il s'agit d'une étape essentielle, mais parfois difficile parce qu'elle ressemble à la traversée du désert. Les gens ont l'impression de flotter dans le vide, confus, sans points de repère. Ils ont l'impression qu'il ne se passe rien et tentent de s'accrocher au passé ou de fuir vers l'avant. Ils ont l'impression de tourner en rond, de piétiner, de se retrouver devant rien. Ils ont même l'impression de n'être plus rien.

Or, malgré les apparences, il s'agit d'un moment privilégié pour mieux vous regarder et explorer votre identité profonde. « Décroché » de l'extérieur, il vous faut vous tourner vers votre intérieur pour vous retrouver. Au début, il est possible que votre démarche ne vous apporte aucune réponse. Tout comme l'hiver froid prépare la venue de la vie nouvelle au printemps, le silence de votre âme signale la gestation de votre mission. Par la suite, votre être vous parlera, sous forme d'images, de sensations ou de rêves, ou encore vous enverra des messages pour vous indiquer qui vous êtes. Vous découvrirez ainsi des parties de vous-même que vous aviez cachées au plus profond de vous. Ces parties refoulées pour plaire à votre entourage constituent votre ombre.

Par crainte d'être rejeté par les personnes importantes de votre vie, vous avez refoulé dans votre inconscient certains comportements jugés inacceptables. Pour répondre aux attentes de votre entourage, vous avez refoulé des aspects importants de votre personnalité. Certains auteurs croient que les gens remplissent leur ombre pour plaire aux autres jusqu'à la trentaine. Ensuite, ils commencent à récupérer tout ce qui y est refoulé et osent enfin être eux-mêmes.

L'ombre détient la clé de votre mission. Elle est plus près de votre Essence que votre moi adapté qui répond aux attentes de votre entourage. L'ombre reflète davantage les aspirations de votre moi profond. Pour acquérir une meilleure connaissance de votre être, il est important de retirer de l'ombre ces parties de vous non développées, ignorées ou rejetées. C'est à cette condition qu'il est possible de découvrir les désirs profonds de votre être. Conséquemment, vous découvrez ce vers quoi vous êtes appelé en tant qu'individu.

Les êtres humains ont parfois peur de récupérer leur ombre, ces parties d'eux-mêmes qu'ils croient « mauvaises ». En fait, toute caractéristique a un côté lumineux et un côté sombre, des avantages et des inconvénients. Souvent, c'est l'utilisation excessive de cette caractéristique dans une situation inappropriée qui en fait un défaut. À plus petite dose, dans une autre circonstance, cette même caractéristique devient une qualité. Ainsi, un peu de paresse ferait le plus grand bien à un travailleur compulsif. Un peu d'égoïsme serait salutaire pour une personne qui s'oublie en faveur des autres. Un peu de colère serait utile à quelqu'un qui se laisse abuser.

Tous les êtres humains portent en eux toutes les caractéristiques de l'humanité, le bien comme le mal. Il vous arrive peut-être parfois d'avoir l'impression de n'être plus tout à fait vous-même au contact de certaines personnes. En réalité, vous êtes une personnalité polyvalente révélant divers aspects de vous-même, suivant les situations et les circonstances. En vous réappropriant votre ombre, vous acceptez et intégrez ces facettes méconnues de vous-même. Au début, il est possible que cette polyvalence nuise à la découverte de votre mission. Vous serez peut-être tiraillé par les diverses composantes de votre personnalité et attiré dans plusieurs directions. Cependant, la réunification des diverses facettes de votre personnalité vous permettra de découvrir votre mission, en plus de vous donner le courage de l'accomplir.

La réappropriation de votre ombre et le progrès réalisé dans la connaissance de soi vous permettent maintenant de répondre à la question : « Qu'est-ce que je vais faire de ma vie ? » Il vous faut formuler votre mission personnelle, décrire la vie que vous souhaitez vous créer. Cette formulation évoluera, se précisera au cours de votre vie. La formulation de votre rêve de vie doit vous inspirer, vous passionner. Elle doit décrire de façon succincte l'ensemble des activités de votre vie. Bien entendu, celles-ci doivent être sous votre contrôle. Ainsi, une formulation telle que : « Je veux faire le bonheur de mes enfants » est inadéquate, comme je l'ai déjà mentionné auparavant. Voici quelques exemples d'énoncés de mission :

- « Je mets en place des conditions favorables à l'épanouissement de ma famille. »
- « Je deviens travailleur autonome au service du public dans une activité nourrissante. Je suis mon propre patron, je travaille avec les membres de ma famille dans la restauration et je satisfais la clientèle. »
- « Ma mission est de créer des lieux où l'on apprend à exprimer ses talents artistiques. »
- « Ma mission consiste à explorer et à mettre au point de nouvelles méthodes en éducation, permettant un enseignement plus efficace et plus enrichissant. »

Pour les besoins de l'exercice, j'utiliserai la formulation de ma mission personnelle au cours des prochaines pages. La voici :

- « Je travaille à réaliser pleinement mon potentiel physique, intellectuel, émotif et spirituel afin de témoigner de la possibilité de vivre une vie riche et satisfaisante. Je développe, utilise et transmets au plus grand nombre de gens des méthodes et outils qui peuvent aider chacun à se créer une vie plus riche et plus satisfaisante. »

Et vous, comment formulez-vous votre énoncé de mission ? Que rêvez-vous d'accomplir qui donne un sens à votre vie ? L'énoncé de votre rêve de vie est la première étape qui vous permettra de vous créer la vie que vous souhaitez. Dans les chapitres suivants, je vous aiderai à prendre les moyens nécessaires pour passer du rêve à la réalité.

Résumé

Accomplir votre mission personnelle signifie donner à votre vie une direction qui ait du sens, qui soit en accord avec qui vous êtes et ce que vous êtes venu faire sur terre. Votre mission découle de votre Être, elle s'enracine dans votre identité profonde. La mission se manifeste plus particulièrement à l'adolescence et au mitan de la vie, empruntant de multiples subterfuges et déguisements. La formulation de votre mission décrit la manière dont vous vous épanouissez dans une action correspondant à votre identité, au service d'une communauté.

Il existe deux catégories d'exercices pour découvrir votre mission personnelle : la projection dans le futur ou la rétrospective. Dans la réalisation de votre mission, vous pouvez rencontrer trois types d'obstacles : les difficultés réelles, les fausses croyances et les résistances psychologiques.

Votre mission concerne votre avenir. Or certaines personnes sont prisonnières de deuils non résolus. Avant de pouvoir entrer dans une nouvelle période, vous devez vous séparer du passé en produisant du changement à l'extérieur mais surtout à l'intérieur de vous-mêmes.

Au cours de ce processus, vous découvrirez votre ombre, ces parties de vous refoulées par peur de déplaire. L'ombre détient la clé de votre mission. Et la réunification des diverses facettes de votre personnalité vous permettra de découvrir votre mission, en plus de vous donner le courage de l'accomplir.

La réappropriation de votre ombre et le progrès réalisé dans la connaissance de soi vous permettent maintenant de répondre à la question « Qu'est-ce que je vais faire de ma vie ? » La formulation de votre rêve de vie doit vous inspirer, vous passionner. Elle doit décrire de façon succincte l'ensemble des activités de votre vie et n'inclut que les activités qui sont sous votre contrôle.

Chapitre 7
Passer du rêve à la réalité

Vous avez découvert votre mission personnelle. Bravo ! Vous avez rédigé une formulation qui vous enthousiasme. Excellent ! Vous souhaitez maintenant accomplir votre mission, passer du rêve à la réalité. La formulation de votre mission indique la direction générale que vous souhaitez donner à votre vie afin qu'elle ait du sens. Elle reflète vos valeurs profondes, vos goûts et vos intérêts. Par contre, elle n'indique pas réellement comment vous allez vous y prendre pour l'accomplir. Elle ne donne pas d'indication précise sur le déroulement de votre quotidien. Les deux prochains chapitres visent à vous fournir des outils efficaces pour concrétiser votre rêve de vie.

Le point tournant : la décision

La formulation de votre mission personnelle est une étape importante pour créer la vie que vous souhaitez. Cependant, l'énoncé de votre mission peut demeurer un souhait sans correspondance concrète. Pour que votre mission devienne réalité, il est essentiel que vous preniez la décision de réaliser votre mission. Une décision est plus qu'un vœu pieux. Elle repose sur un engagement. Il y a une différence entre *s'intéresser* à une chose et *s'engager* envers elle. Les déclarations du type « J'aimerais ceci ou j'aimerais cela... » ne sont pas des engagements, mais de simples préférences. Et ces dernières ne changent pas le monde. Certaines personnes ne savent pas ce que c'est que de prendre une décision consciente. Elles ignorent le pouvoir de transformation d'une décision congruente et ferme. Prendre une véritable décision, c'est s'engager à obtenir un résultat précis et se refuser toute autre possibilité. La décision est un des éléments clés pour réaliser votre mission. Sans une décision ferme et l'engagement qui la soutient, les meilleures stratégies ne sont que des souhaits aussi efficaces que des courants d'air.

Si vous prenez la décision consciente de modeler votre vie, vous choisissez alors d'influencer votre propre avenir plutôt que de vous laisser gouverner par l'environnement. Pour beaucoup de gens, la vie est une rivière sur laquelle ils flottent sans jamais décider où ils veulent vraiment aller. Ils sont bientôt emportés par le cours des événements ; ils sont paralysés par leurs peurs et les difficultés courantes. Aux embranchements, ils ne prennent pas de décision consciente, suivent le courant et ont rapidement le sentiment d'avoir perdu le contrôle. Ils demeurent dans cet état d'inconscience jusqu'au moment où ils font une chute : chute affective, physique ou financière. Il est probable qu'ils auraient pu éviter les difficultés qu'ils affrontent en ce moment s'ils avaient pris de meilleures décisions en amont.

Comment renverser la situation? Vous pouvez décider de ramer comme un forcené dans une nouvelle direction sur la rivière de la vie. L'autre option est de planifier votre course à l'avance. Tracez un itinéraire qui vous mènera là où vous voulez vraiment aller et munissez-vous d'un plan ou d'une carte, afin de prendre les décisions judicieuses en cours de route. Votre mission a justement pour but de vous indiquer la direction dans laquelle vous souhaitez vous diriger. Et pour cela, vous devez prendre la décision d'influencer votre futur et de tout tenter pour réaliser votre mission.

Il y a bien sûr de grandes décisions qui changent le cours d'une vie, telle que la décision de prendre votre destinée en main. Il y a surtout une multitude de petites décisions qui influencent votre parcours. Certaines d'entre elles peuvent vous mener à l'échec: ne pas assurer de suivi, ne pas agir, ne pas persévérer, ne pas contrôler votre état d'esprit et vos émotions, dépenser sans compter, manger une deuxième pointe de tarte, etc. Les décisions qui mènent au succès sont parfois tout aussi simples: viser un idéal plus élevé, apporter sa contribution, persévérer, ne pas manger ce biscuit de plus, nourrir son esprit au lieu de se vider la tête devant l'écran de télé, marcher plutôt que de prendre la voiture, etc.

Les meilleures décisions sont celles qui s'appuient sur une vision à long terme (telle que votre mission). À cette époque rapide, les gens recherchent les récompenses immédiates. Cependant, les solutions à court terme se changent souvent en problèmes à long terme. Ainsi, une variété de difficultés que vous risquez d'affronter dans votre vie personnelle (comme trop manger, boire, fumer, se laisser abattre et renoncer à ses rêves) sont le résultat d'une vision à court terme. En vous engageant à rechercher des résultats à long terme plutôt que d'adopter des solutions miracles dans l'immédiat, vous prenez une décision aussi importante que toute autre décision de votre vie.

La peur de se tromper est souvent présente au moment de la prise de décision. Acceptez le fait que vous prendrez de « mauvaises » décisions, c'est-à-dire qu'elles ne produiront pas les résultats escomptés. Il est alors profitable d'examiner les conséquences de ces décisions et d'en tirer des leçons pour le futur. La réussite est le résultat d'un bon jugement. Le bon jugement est le résultat de l'expérience... et l'expérience est souvent le résultat d'un mauvais jugement. Il faut s'engager à apprendre de ses erreurs plutôt que de se culpabiliser et se dévaloriser. Si vous êtes prêt à tirer des leçons de votre expérience, même les moments qui vous ont paru difficiles deviendront merveilleux parce qu'ils vous auront apporté de précieux enseignements qui vous aideront à prendre de meilleures décisions à l'avenir. De plus, certaines « mauvaises » décisions sont des chances déguisées, qui peuvent ouvrir un autre chemin pour atteindre votre objectif. Alors, osez prendre des décisions. Le plus grand pouvoir que vous ayez est celui de faire des choix. Ceux-ci se matérialisent dans la réalité lorsque vous prenez la décision de les concrétiser.

Pour mobiliser votre pouvoir de décision

➢ Le vrai pouvoir est dans la décision.

a) Une vraie décision se mesure à l'action qui en résulte. Si vous n'agissez pas, c'est que vous n'avez pas vraiment pris de décision.

b) Une décision et l'action qui en découle respectent la loi de cause à effet. Lorsque vous prenez une nouvelle décision, vous mettez en mouvement une nouvelle cause et un nouvel effet, et vous donnez une nouvelle orientation à votre vie. Ce sont vos décisions et non les circonstances qui déterminent votre avenir.

➢ C'est le premier pas qui est difficile ; après, le chemin est plus praticable.

a) Pour accomplir quelque chose, souvent, le plus difficile est de s'engager fermement, de décider vraiment. Par la suite, mener à bien son engagement peut être plus facile. En prenant vos décisions intelligemment mais rapidement, vous diminuez la période de « torture ».

b) Les gens qui réussissent le mieux prennent des décisions rapides parce que leurs valeurs sont claires et qu'ils savent ce qu'ils veulent vraiment dans la vie. Par contre, les personnes qui échouent sont en général lentes à prendre des décisions ; elles changent rapidement d'idée et sont de vraies girouettes.

c) Prendre une décision est un acte en soi. Et ne pas prendre de décision est une décision.

➢ Prenez souvent des décisions.

a) L'expérience est un facteur important. Plus vous prendrez de décisions, meilleur vous deviendrez.

b) Une décision que vous ne prenez pas est un fardeau que vous portez. Libérez votre énergie maintenant en prenant les décisions que vous aviez remises à plus tard.

➘ Apprenez des conséquences de vos décisions.

a) Quand l'inévitable erreur se produit, au lieu de vous le reprocher, tirez-en une leçon. Demandez-vous : « Quel est le bon côté de cette situation ? Que peut-elle m'apprendre ? » Plutôt que de vous renfermer sur votre défaite à court terme, choisissez d'en tirer des apprentissages susceptibles de vous faire épargner du temps, de l'argent ou des douleurs, et de vous donner l'aptitude de réussir à l'avenir.

➢ Demeurez ferme dans vos décisions et souple dans votre façon d'aborder le problème.

a) Ainsi, demeurez ferme en ce qui concerne la direction que vous souhaitez donner à votre vie. Par contre, ne soyez pas rigide dans le choix des méthodes pour y arriver. Laissez la vie vous donner un coup de main et soyez souple dans votre façon d'aborder le problème.

➢ Prenez plaisir à décider.

a) Décider, c'est exercer votre pouvoir de choisir. Avoir du pouvoir sur votre vie augmente votre confiance et votre estime de soi. Et cela peut aussi être très amusant.

b) À tout moment, une décision peut changer le cours de votre vie. Ce pourrait être le détail qui ouvre les portes et vous permet de concrétiser tous vos espoirs. N'est-ce pas excitant ?

Une ferme décision est une force capable de changer votre vie. C'est un pouvoir dont vous disposez à chaque instant, dans la mesure où vous le décidez. Bien des gens sont paralysés par la peur de ne pas savoir précisément *comment* transformer leurs rêves en réalité. Il importe peu, au début, de savoir de quelle façon vous obtiendrez un résultat. Ce qui compte, c'est de décider que vous trouverez une façon, quelle qu'elle soit. Dès que vous vous engagez vraiment à poursuivre un but, vous mobilisez toutes vos ressources à trouver une solution, et une solution émergera. L'esprit humain possède des ressources inexploitées. Quand vous décidez ce que vous voulez et quand vous êtes convaincu qu'aucune difficulté, aucun problème, aucun obstacle ne peut vous empêcher d'atteindre votre but, la réussite suit.

Les outils de base

La formulation de votre mission vous emballe et vous avez vraiment pris la décision de réaliser le rêve de votre vie.

Avant de planifier vos stratégies, rassemblez les outils dont vous aurez besoin. Le premier de ces outils est l'écriture. Tout le travail de réflexion et de planification pour réaliser votre mission doit se faire par écrit. Je vous suggère d'avoir un cahier ou un cartable qui vous permet de regrouper tous vos écrits. L'écriture vous aide à avoir une vue d'ensemble de votre plan d'action et des stratégies que vous prévoyez utiliser: cela vous permet d'évaluer la cohérence de l'ensemble. De plus, le fait d'écrire vos objectifs les rend plus concrets à vos yeux et favorise un plus grand engagement de votre part.

Je vous propose certains formulaires pour vous aider dans votre planification. Vous pouvez aussi développer vos propres outils ou adapter ceux que vous utilisez déjà. L'important est que tout soit écrit dans un format fonctionnel et pratique. Ainsi, vous aurez besoin d'un agenda ou de fiches hebdomadaires. L'exécution des tâches à accomplir doit être détaillée et se retrouver dans votre agenda, sinon vous risquez de ne pas trouver pas le temps ou d'oublier de faire les gestes nécessaires pour atteindre vos objectifs. L'agenda est un outil puissant pour maintenir le rythme dans l'action et soutenir votre motivation. Il est plus facile de poser une action planifiée le lundi à 14 heures que de se rappeler qu'il faut faire cela cette semaine... Je vous recommande un modèle qui vous permet de voir toute votre semaine d'un seul coup d'œil. Vous avez ainsi une vue d'ensemble qui vous permet de bien équilibrer vos activités. De plus, chaque journée doit refléter vos horaires réels, par exemple de 6 à 21 heures. Je serais très surprise que vous alliez vous coucher à 17 heures, alors n'utilisez pas un agenda qui ne contient que votre horaire de travail salarié. Vous pouvez utiliser une fiche hebdomadaire similaire à celle utilisée dans le chapitre 9, « Le facteur temps », qui vous enseigne la gestion du temps par priorités.

Pour avoir une vision de vos objectifs mensuels et annuels, je vous suggère d'utiliser une feuille de planification annuelle de type calendrier. Vous pourrez ainsi inscrire les objectifs en cours et vérifier que vous ne surchargez pas votre horaire en les cumulant. Vous trouverez un exemplaire de calendrier à la fin du chapitre. Si, par exemple, vous avez un objectif qui s'échelonne de janvier à juin, vous pouvez colorier ces mois d'une couleur. Si vous poursuivez un autre objectif durant cette période, ajoutez un trait d'une autre couleur, et ainsi pour chaque objectif poursuivi durant l'année. Vous pourrez modifier votre planification si vous constatez un chevauchement excessif de couleurs.

Lorsque vous énoncez votre mission personnelle ou que vous rédigez vos objectifs, il est important de tenir compte de tous les domaines de votre vie. Si vous négligez un aspect de votre vie, cela provoquera un déséquilibre qui nuira au changement que vous souhaitez accomplir. Cela peut même occasionner des problèmes suffisamment importants pour empêcher la réalisation de votre mission. Pensez à la personne qui démarre une entreprise et néglige sa famille pendant des années. Cette personne avait-elle vraiment pour mission de lancer une entreprise au prix d'un divorce ? Dans certains cas, vous pouvez choisir de mettre temporairement de côté un domaine de votre vie pour pouvoir consacrer toute votre énergie dans un autre domaine. Par exemple, un athlète olympique en entraînement intensif va peut-être consacrer moins de temps à sa vie professionnelle durant une certaine période. Lorsqu'un tel renoncement est absolument nécessaire, il importe de trouver des méthodes appropriées afin d'éviter un déficit trop grand dans le domaine visé.

Vous trouverez une liste des domaines de vie à la fin du chapitre. Vous pouvez adapter cette nomenclature en fonction de votre vie. Cette liste vous sera utile pour faire un bilan (le portrait de votre situation actuelle) et pour établir les objectifs que vous voulez atteindre. Il est possible que vous constatiez que vous ne souhaitez pas faire de changement dans certains domaines de votre vie parce que la situation est satisfaisante pour vous. Tant mieux ! Vous souhaiterez donc maintenir cet état, c'est-à-dire établir des objectifs de maintien et planifier des actions qui vont permettre que cela continue. Voici les différents domaines de vie :

1. Domaine personnel (physique, psychologique, spirituel et intellectuel) ;
2. Domaine professionnel (carrière, études) ;
3. Domaine financier (mode de vie, retraite) ;
4. Domaine familial (couple, noyau familial, famille élargie) ;
5. Domaine social (amis, communauté) ;
6. Domaine des loisirs (activités, vacances, voyages, projets spéciaux) ;
7. Autre (à préciser).

Les objectifs

Toute personne qui souhaite un changement doit définir ses objectifs. Il est impossible de faire des efforts pour avancer si la direction n'est pas précisée. C'est comme faire un voyage sans en connaître la destination. La mission personnelle est comme une boussole qui indique la direction générale de votre vie. Les objectifs précisent la forme que prendra votre mission. La définition des objectifs (ou buts) est essentielle, car elle permet de déterminer les moyens qui devront être utilisés pour accomplir votre mission. Ces objectifs doivent être en accord avec la mission personnelle. Un objectif qui serait en contradiction avec la mission, donc avec les valeurs profondes de la personne et le sens qu'elle donne à sa vie, suscitera de la résistance et une perte de motivation. Définir des objectifs vous amène à formuler vos intentions de façon consciente : cela oriente et motive vos futures actions et vos comportements à venir. Tout votre être est alors mobilisé dans une direction. De plus, cela vous permet d'être plus attentif aux occasions que la vie vous offre et de choisir celles qui favorisent l'atteinte de vos objectifs.

Fixer des objectifs est donc une étape essentielle qui favorise un bon départ. Cela a aussi des avantages tout au long de la réalisation de votre mission. Ainsi, atteindre ses objectifs procure un sentiment de compétence. L'impact positif d'une telle démarche se reflète alors sur votre rendement et votre satisfaction. L'estime de soi et la confiance en soi augmentent. Vous êtes davantage motivé et prêt à faire plus d'efforts pour parvenir à vos buts. Vous vous concentrez sur ce que vous voulez atteindre et votre capacité de persévérance augmente. Vous devenez plus motivé à développer les stratégies appropriées pour réaliser vos rêves. Bref, les objectifs sont essentiels. Cependant, pour être efficaces, ils doivent présenter certaines caractéristiques.

La définition des objectifs

Les objectifs que vous définissez appartiennent à l'une des quatre catégories suivantes : élimination, modification, ajout ou maintien d'une façon d'agir. En précisant les comportements que vous devez éliminer, modifier, ajouter ou maintenir pour atteindre la situation idéale, vous établissez ainsi la liste des actions concrètes qui vous permettront de passer de votre état actuel à l'état que vous souhaitez, afin de créer la vie que vous voulez vivre.

Les objectifs, en plus d'être écrits sur papier, doivent présenter d'autres caractéristiques.

1. Vous devrez d'abord assumer pleinement la responsabilité de chaque objectif que vous vous fixez ainsi que les conséquences qui en découlent. Choisissez des objectifs sur lesquels vous aurez un contrôle total et direct : il est démotivant de ne pas atteindre son but pour des raisons qu'on ne peut maîtriser. « Rendre les autres heureux » n'est pas un objectif admissible.

2. Vos objectifs doivent être énoncés au présent et en termes positifs. Une expression positive favorise une pensée constructive et rend plus dynamique votre façon d'aborder les choses. « Un jour, je ferai… » est un souhait, pas un objectif.

3. Vos objectifs doivent être formulés de façon spécifique et précise et liés à un résultat concret qui doit être réalisé. « Travailler dans la restauration » n'est pas suffisamment spécifique. « Diriger un restaurant de cuisine française » est beaucoup plus précis et indique déjà quelles actions devront être entreprises.

4. Les objectifs doivent être opérationnels, c'est-à-dire précis, mesurables, quantifiables. La définition de vos objectifs doit comporter des indicateurs de façon à évaluer vos progrès. Ainsi, vous saurez à tout moment si vous vous approchez de votre objectif ou si vous vous en éloignez. Vous pourrez ainsi ajuster vos méthodes pour être plus efficace. « Perdre 10 kilos » est une définition plus opérationnelle que « perdre du poids ».

5. Les objectifs doivent être réalistes, c'est-à-dire raisonnables et stimulants. Ils doivent vous apparaître atteignables : il est donc suggéré de les découper en petites étapes. Après tout, il est toujours plus facile de gravir un escalier une marche à la fois que d'un seul bond. Le succès se construit sur le succès ; la motivation et l'estime de soi augmentent chaque fois qu'une personne vit du succès, ce qui accroît ses chances pour l'étape suivante. Par contre, pour être valorisés, les succès doivent représenter un accomplissement. Tout objectif doit donc représenter un défi stimulant que vous aurez du plaisir et de la satisfaction à relever.

6. Les objectifs doivent aussi être atteints dans un laps de temps précis et déterminé. Un échéancier est essentiel pour atteindre des résultats et crée un rythme dans le mouvement qui favorise la continuité du processus. Donnez-vous un délai raisonnable. Si celui-ci est trop court, vous créerez un effet de stress susceptible d'affecter et de limiter vos capacités de réussite. S'il est trop long, vous perdrez de vue le but à atteindre : les résultats tarderont à se manifester et votre motivation s'en trouvera affaiblie. Si vous ne parvenez pas à atteindre vos objectifs dans les délais fixés, faites la correction de parcours qui s'impose.

7. Choisissez des objectifs qui vous procureront du plaisir. Tout projet ou toute activité doit vous procurer un minimum de plaisir et de satisfaction pour susciter votre implication et vous motiver. Si la tâche que vous devez accomplir vous déplaît profondément, il y a peu de chances que vous persistiez même si votre objectif est noble et beau en soi. Les spécialistes en conditionnement physique le disent : les gens abandonnent rapidement lorsque l'activité pratiquée ne leur plaît pas.

Des objectifs bien définis contribuent largement à vos probabilités de succès. Sans des objectifs spécifiques, il vous sera pratiquement impossible d'accomplir votre mission. Une boussole indique une direction. Votre mission personnelle énonce le sens que vous souhaitez donner à votre vie. Mais c'est la destination qui détermine les moyens requis pour l'atteindre. Et ce sont les objectifs que vous formulez qui vous dicteront les actions à entreprendre pour les atteindre.

Établissez vos objectifs à partir de la formulation de votre mission personnelle. En voici un exemple.

Formulation de la mission

« Je travaille à réaliser pleinement mon potentiel physique, intellectuel, émotif et spirituel afin de témoigner de la possibilité de vivre une vie riche et satisfaisante. Je développe, utilise et transmets au plus grand nombre de gens des méthodes et outils qui peuvent les aider à se créer une vie plus riche et plus satisfaisante. »

Objectifs qui en découlent

- Faire du *coaching* individuel ;
- Donner des conférences ;
- Faire du *coaching* de groupe ;
- Écrire des livres ;
- Collaborer avec les médias pour transmettre l'information : articles, télévision, radio ;
- Développer un programme simple pour se créer une vie passionnante ;
- Diffuser ce programme : livre, cassettes, CD ;
- Développer un site Internet.

Parmi les différents objectifs que vous formulez, il est recommandé d'établir des priorités: il est en effet très difficile de tout réaliser en même temps. Lorsque vous établissez vos priorités, tenez compte du principe de Pareto: 20 % d'efforts pour obtenir 80 % de résultats. Il est parfois difficile d'identifier quelles actions produiront le plus de résultats. Certaines actions provoquent une réaction en chaîne qui amènent des résultats intéressants sans qu'il y ait de dépenses supplémentaires en termes de temps et d'énergie. Une bonne compréhension de la loi de cause à effet, de la réflexion et de la planification sont vos principaux outils pour identifier ces actions. Ainsi, une de mes clientes voulait effectuer beaucoup de changements dans sa vie: elle voulait augmenter sa confiance en elle et son charisme; elle souhaitait se sentir désirable; elle voulait perdre du poids; elle voulait se créer une sécurité financière; elle remettait en question son avenir professionnel et souhaitait améliorer sa vie familiale. Tout un programme! En travaillant avec elle, nous en sommes arrivées à la conclusion que la perte de poids était un objectif réaliste qu'elle savait comment atteindre et qui ne bouleverserait pas toute sa vie (donc à un coût acceptable) et qui lui apporterait des gains importants en termes de confiance en elle et de charisme. L'augmentation de sa confiance en elle lui permettrait ensuite de s'affirmer dans son cercle familial et de faire face aux exigences du marché du travail plus facilement. En ciblant ses efforts au bon endroit, cette courageuse dame mettait en branle une série de réactions en chaîne. Elle utilisait 20 % de son énergie qui pouvait lui rapporter 80 % de résultats. En commençant un programme de perte de poids, elle entreprenait en fait un processus de changement majeur dans sa vie.

D'autres outils

Des objectifs soigneusement définis vous permettront d'établir les stratégies appropriées pour accomplir votre mission. Avant de commencer à élaborer votre planification, munissez-vous des trois outils suivants qui vous permettront de faire face aux aléas du voyage : une liste de vos raisons pour changer, une liste des obstacles imprévus et une liste des solutions possibles.

Amorcer l'accomplissement de votre mission implique que vous allez effectuer des changements dans vos pensées, vos attitudes, vos comportements et votre mode de vie. L'être humain a tendance à résister au changement. Une liste de vos raisons de changer peut soutenir votre motivation durant le processus et vous aider à persévérer. Il y a trois catégories de raisons pour changer. Les voici.

1. Les récompenses et les bienfaits que les changements vous apporteront. Écrivez sur une liste tous les aspects positifs qui découleront des changements que vous allez effectuer. Lisez cette liste régulièrement. Prenez le temps de vous imprégner profondément des avantages que ces changements provoqueront dans votre vie. En fermant les yeux, imaginez ces bienfaits, décrivez-les, voyez-les, sentez-les, ressentez l'effet qu'ils produiront sur vous, etc. Lorsque l'écurie est proche, le cheval accélère le pas. Des récompenses claires vous attireront vers votre but.

2. Prenez conscience du prix à payer si vous ne changez pas. Identifiez clairement les inconvénients de votre situation. Quels sont les aspects désagréables ou souffrants de votre situation actuelle ? Que vous en coûtera-t-il à moyen et à long termes si vous ne changez pas ? Recommanderiez-vous à votre meilleur ami de continuer à endurer cette situation ?

3. La dernière liste identifiera les bénéfices que vous retirez de la situation actuelle. Les gens ont parfois de la difficulté à découvrir les bénéfices secondaires qu'ils retirent d'une situation, en particulier si celle-ci est très désagréable. Et pourtant, il y a toujours des bénéfices secondaires, sinon la personne n'aurait pas fait ce choix. Quels pourraient être les bénéfices à ne pas accomplir votre mission ? En refusant d'accomplir votre mission, vous maintenez le sentiment de sécurité que vous avez acquis, vous évitez d'affronter vos peurs, vous ne provoquez pas de réaction dans votre entourage, vous ne risquez pas de subir une douloureuse leçon de vie (un échec), etc. Chacun a ses raisons de ne pas changer. Si le fait de changer vous fait perdre des bénéfices importants, votre motivation à changer s'effritera rapidement. Pour éviter une baisse rapide de votre motivation, identifiez clairement quels sont les bénéfices secondaires liés à votre situation présente. Trouvez une autre façon d'obtenir ces bénéfices. Dans certains cas, il vous faudra peut-être renoncer complètement à ces bénéfices secondaires. Ainsi, si vous choisissez de faire ce qui

> est nécessaire pour recouvrer la santé, vous devrez peut-être renoncer complètement à l'attention que votre entourage vos accorde lorsque vous êtes malade. En trouvant une autre façon plus positive d'obtenir de l'attention, il vous sera plus facile de faire des efforts.

Le changement demande un grand investissement en temps et en énergie, sans compter l'utilisation de vos ressources matérielles et autres. Si vous n'avez pas l'impression que le changement en vaut la peine, s'il ne vous apparaît pas clairement nécessaire, vous ne ferez pas les efforts qui s'imposent. La motivation est un élément fragile, variable et mouvant ; elle doit être soigneusement entretenue au début et tout au long du processus de réalisation de votre mission.

Un voyage bien planifié a toujours plus de chances d'être réussi. La vie étant pleine de surprises, il est probable que même le meilleur plan ne pourra être exécuté à la lettre. Il y a cependant une différence importante entre une surprise imprévue et une surprise imprévisible. Imprévu signifie qui n'a pas été prévu, alors qu'imprévisible signifie qui ne peut pas être prévu. Un exemple pour illustrer cette différence : s'il est impossible de prévoir à quelle date il y aura une tempête de neige au Québec, il est tout à fait possible de faire preuve de prévoyance et de prendre des précautions contre les chutes de neige. S'il est impossible de se prémunir contre l'imprévisible, il est très possible et même fortement recommandé de prendre des précautions contre les éléments imprévus. Le pessimisme des gagnants leur permet d'imaginer les imprévus qui pourraient se produire et d'élaborer un ensemble de précautions. Rappelez-vous la loi de Murphy, qui stipule que tout ce qui peut aller mal ira mal. Utilisez votre pessimisme pour écrire la liste de tous les obstacles possibles. Lorsque votre liste vous semble plutôt complète, remisez votre pessimisme et utilisez votre optimisme pour aborder les obstacles comme des défis à relever, des situations d'apprentissage enrichissantes qui vous permettront de faire appel à vos ressources inexploitées et de dépasser vos limites. Une vision optimiste vous motive lors des passages plus difficiles.

Il est essentiel d'avoir une vision optimiste, mais encore faut-il se préparer concrètement à faire face aux obstacles. Il est sage d'avoir un parapluie, même si nous sommes convaincus que la pluie est bonne pour la terre. En utilisant votre liste des imprévus, préparez une liste de toutes les solutions possibles que vous pourrez utiliser lorsqu'un obstacle se présentera. Il ne s'agit pas de consacrer votre vie à prévoir les imprévus, ce qui vous empêcherait d'avancer, mais ne soyez pas téméraire au point de prendre la route sans avoir une roue de secours. Avec une liste de solutions, vous ne serez pas pris au dépourvu. Plus vous serez ambitieux, plus vous aurez de défis à relever. Souvent, d'excellentes occasions s'offrent à vous lorsque vous affrontez des obstacles. Ces occasions deviennent plus apparentes quand vous conservez une attitude positive, que vous faites appel à toutes vos ressources et que vous prenez le temps d'analyser la situation ou l'obstacle calmement. L'être humain est conçu pour résoudre des problèmes. Et chaque obstacle franchi avec succès vous donnera confiance en vous et vous préparera à l'étape suivante.

Fiche hebdomadaire des activités (agenda)

DOMAINE	OBJECTIFS	ACTIONS	SUIVI		Lundi	Mardi	Mercredi	Jeudi	Vendredi	Samedi	Dimanche
Physique				6 h							
Social											
Intellectuel				7 h							
Spirituel											
				8 h							
Professionnel				9 h							
				10 h							
Financier				11 h							
				12 h							
Familial				13 h							
				14 h							
Social				15 h							
				16 h							
Loisirs				17 h							
				18 h							
Autres				19 h							
				20 h							
Remarques :											
				21 h							

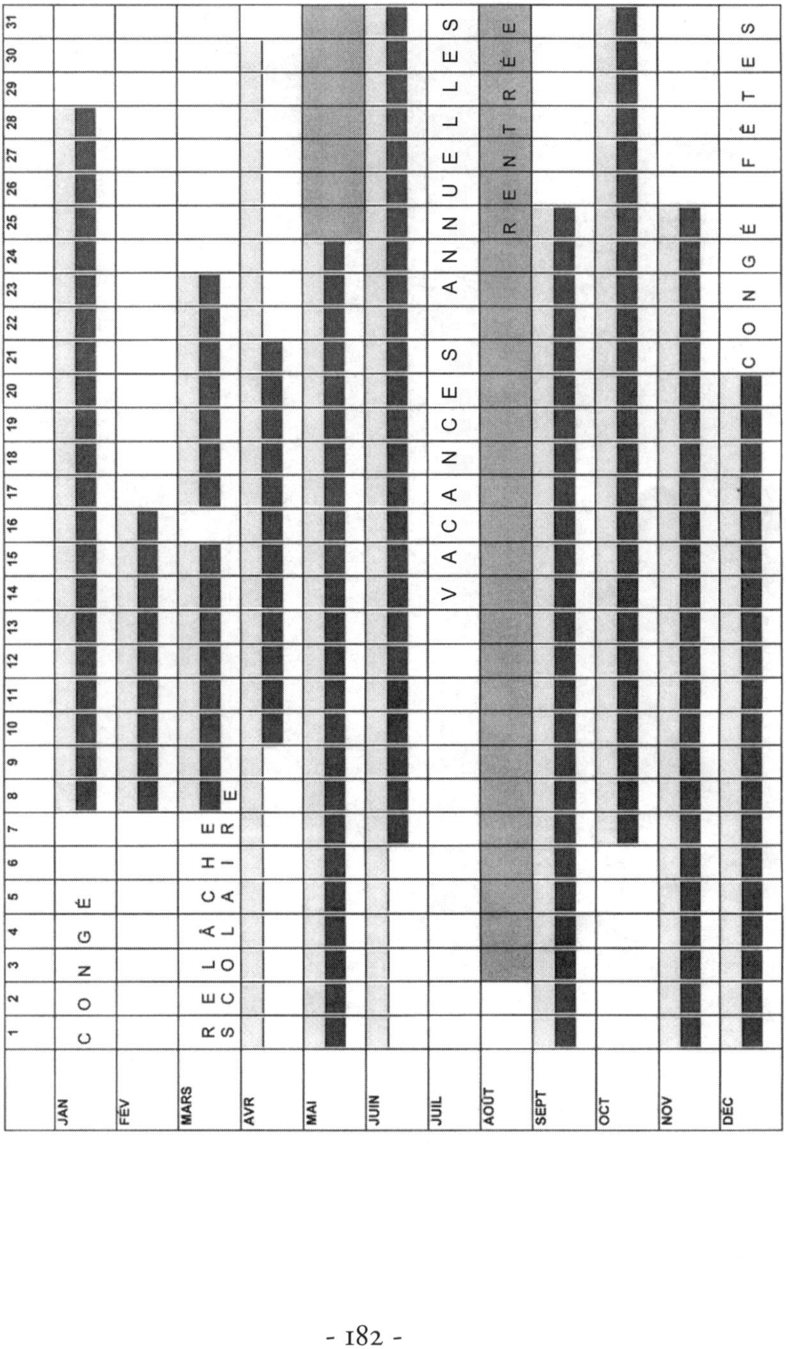

Planification annuelle des objectifs

	1	2	3	4	5	6	7	8	9	10	11	12	13	14	15	16	17	18	19	20	21	22	23	24	25	26	27	28	29	30	31
JAN	C	O	N	G	É																										
FÉV																															
MARS	R S	E C	L O	Â L	C A	H I	E R	E																							
AVR																															
MAI																															
JUIN																															
JUIL														V	A	C	A	N	C	E	S		A	N	N	U	E	L	L	E	S
AOÛT																									R	E	N	T	R	É	E
SEPT																															
OCT																															
NOV																															
DÉC																					C	O	N	G	É		F	Ê	T	E	S

Liste des domaines de vie

Outil pour faire un **bilan** de votre vie et établir la liste de vos **objectifs stratégiques**

Domaines de vie		**Description**
Personnel	Physique	
	Psychologique	
	Intellectuel	
Professionnel	Carrière	
	Études	
Financier	Mode de vie	
	Retraite	
Familial	Couple	
	Noyau familial	
	Famille élargie	
Social	Amis	
	Communauté	
Loisirs	Activités	
	Vacances	
	Voyages	
	Projets spéciaux	
Autres	(Préciser)	

Résumé

Prendre une véritable décision, c'est s'engager à obtenir un résultat précis et se refuser toute autre possibilité. Si les grandes décisions changent le cours d'une vie, ce sont souvent les petites qui influencent votre parcours

Les meilleures décisions sont celles qui s'appuient sur une vision à long terme (telle que votre mission). Les solutions à court terme entraînent souvent des problèmes.

La peur de se tromper peut être présente au moment de la prise de décision. Acceptez de vous tromper et apprenez. La réussite est le résultat d'un bon jugement. Le bon jugement est le résultat de l'expérience... et l'expérience est souvent le résultat d'un mauvais jugement. Entraînez-vous à prendre des décisions.

Bien des gens ont peur de ne pas savoir *comment* transformer leurs rêves en réalité. Peu importe, l'esprit humain possède des ressources inexploitées. Quand vous décidez ce que vous voulez et quand vous êtes convaincu qu'aucune difficulté, aucun problème, aucun obstacle ne peut vous empêcher d'atteindre votre but, la réussite suit.

Certains outils peuvent vous aider à concrétiser vos rêves. Le plus important est de bien définir vos objectifs puisqu'ils vous dicteront les actions à entreprendre pour les atteindre. Les objectifs doivent être :

- écrits, énoncés au présent et en termes positifs
- spécifiques, précis, concrets, mesurables et quantifiables

- sous votre contrôle
- réalistes, raisonnables et stimulants
- inscrits dans un échéancier
- procurent du plaisir

Classez vos objectifs par priorités en fonction du principe de Pareto : 20 % d'efforts pour obtenir 80 % de résultats.

Les outils suivants vous permettront de faire face aux aléas du voyage : une liste de vos raisons pour changer, une liste des obstacles imprévus et une liste des solutions alternatives. Avec un bon agenda, vous atteindrez vos objectifs !

Chapitre 8

Passer à l'action

La formulation de votre mission personnelle vous enthousiasme. Vous avez établi les objectifs concrets et réalistes que vous voulez atteindre pour accomplir votre mission. Ceux-ci respectent l'équilibre entre les différents domaines de votre vie. Vous savez clairement ce que vous voulez faire. Vous avez donc défini la destination de votre voyage. Ces étapes essentielles étant réalisées, vous êtes maintenant au stade de la planification stratégique des actions qui vont concrétiser votre rêve de vie. Autrement dit, il vous faut maintenant définir comment vous allez vous y prendre pour parvenir à destination et accomplir votre mission. Et cela dépend en grande partie de votre point de départ. Il y a plusieurs façons de se rendre à Paris et le meilleur chemin varie selon la ville d'où vous partez : le bateau est un moyen approprié si vous partez de Montréal, mais pas nécessaire si vous partez de Rome.

Le bilan de départ

À l'aide de la liste des domaines de vie, établissez le bilan de votre situation actuelle. Décrivez le plus honnêtement possible l'état de chacun des domaines de votre vie. Cette description contient les informations qui vous permettront de choisir les moyens appropriés pour atteindre vos objectifs. Prenons l'exemple où l'un de vos objectifs est de favoriser un climat familial harmonieux. S'il règne déjà une certaine harmonie dans la famille, vous pourrez mettre en place des activités de maintien. Par contre, si vous êtes sur le point de divorcer et que vos enfants sont en fugue, le chemin à parcourir est plus long et nécessitera des moyens plus importants.

Inscrivez aussi une cote de satisfaction pour chaque domaine de votre vie. En utilisant une échelle de 1 à 10 (où 1 indique que vous êtes totalement insatisfait et 10 que vous êtes totalement satisfait), inscrivez votre degré de satisfaction pour chaque domaine de votre vie. Cela peut être un indicateur des domaines qui sont les plus problématiques ou qui requièrent un investissement plus grand en temps et en énergie. Cela peut vous aider à établir vos priorités et à faire des choix qui respectent le principe de Pareto (20 % d'efforts et 80 % de résultats).

L'établissement d'un tel bilan vous permet d'avoir un portrait de votre vie. Dans certains cas, cela peut être une belle occasion de prendre conscience de tout ce qui va bien dans votre vie et de manifester de la gratitude. Dans d'autres cas, il peut y avoir une prise de conscience plus douloureuse : les insatisfactions présentes dans votre vie vous apparaîtront plus clairement. Quoique cette prise de conscience puisse être désagréable et même parfois déprimante, il s'agit d'une étape nécessaire et porteuse d'espoir : vous ne pouvez changer que ce dont vous êtes conscient. L'augmentation de votre niveau de conscience vous permet de récupérer votre pouvoir de choisir et de changer ce qui ne vous convient plus. Ce bilan vous aide donc à développer une vision globale et plus précise de votre vie, ouvrant la porte au futur que vous souhaitez créer.

La démarche stratégique

Vous avez en main le bilan de votre situation actuelle. Vous avez aussi la vision de votre mission personnelle et des objectifs que vous voulez atteindre. Si vous mettez ces deux éléments côte à côte, vous constaterez le chemin que vous avez à parcourir pour passer de vote situation actuelle à l'accomplissement de votre mission. Peut-être que certains objectifs pourront être atteints en quelques semaines. Généralement, l'accomplissement d'une mission concerne l'ensemble de votre vie et s'étend sur plusieurs mois et même plusieurs années. Il s'agit maintenant de découper ce long parcours en tranches de vie plus faciles à gérer. Vous trouverez une illustration de la démarche stratégique à la page 195.

Inscrivez maintenant une liste des principaux jalons que vous devez poser pour vivre la vie que vous venez de décrire. Ces jalons sont des sous-objectifs que vous devez atteindre avant que votre vision à long terme se matérialise. Cela correspond au deuxième étage supérieur de la démarche stratégique : définition opérationnelle de la mission. Pour reprendre l'exemple de mes objectifs professionnels, je pourrais découper mes grands objectifs en plus petites étapes.

1. Faire du *coaching* individuel
   a) Suivre une formation de *coaching*
   b) Développer une clientèle de *coaching* individuel
      ➪ Préparer du matériel de promotion (marketing)
2. Faire des conférences
   a) Mettre à jour les conférences déjà données
   b) Développer d'autres thèmes de conférence selon les clients
   c) Organiser des conférences pour le grand public
   d) Développer une clientèle pour ces conférences
      ➪ Préparer du matériel de promotion (marketing)
3. Faire du *coaching* de groupe
   a) Développer un programme spécifique de *coaching* de groupe
   b) Développer une clientèle de *coaching* de groupe
      ➪ Préparer du matériel de promotion (marketing)
4. Écrire des livres
   a) Préciser les thèmes à traiter
   b) Écrire le livre
   c) Le faire publier (trouver l'éditeur, faire les corrections, la promotion, etc.)
5. Collaborer avec les médias pour transmettre l'information : articles, télévision, radio (occasionnel)

6. Développer un programme simple pour se créer une vie
   a) Faire la conception de ce programme
   b) Diffuser ce programme : livre, cassettes, CD
7. Développer un site Internet

Avec un tel programme, il est clair que je vais être très occupée pour plusieurs années ! En fait, il est impossible de tout planifier. Par contre, en établissant des priorités, en choisissant les objectifs que je souhaite entreprendre immédiatement, il est possible de planifier les actions nécessaires pour atteindre des objectifs à moyen terme. Faites de même avec vos objectifs : choisissez ceux que vous souhaitez atteindre à moyen terme.

Planification sur trois ans

Vous pouvez planifier vos actions pour les prochains trois ans. Une planification à plus long terme serait inutile puisqu'il est pratiquement impossible de prévoir tout ce qui peut se produire en trois ans. Écrivez des objectifs à moyen terme qui soient clairs, précis, quantifiables et réalisables. Pour vous aider, répondez aux questions suivantes : « Est-ce que le fait d'atteindre ces objectifs me permettra de réaliser ma vision ? » ainsi que « Est-ce que le fait de poursuivre ces objectifs sur trois ans représente la meilleure voie pour réaliser ma vision à long terme ? » Si c'est bien le cas, alors vous pouvez commencer votre planification.

La planification est une action délibérée. C'est une projection dans l'imaginaire qui permet d'agir dès maintenant afin de façonner l'avenir. Une planification efficace permet d'éviter de gérer des crises. Consacrez beaucoup de temps à peaufiner votre plan. N'oubliez pas qu'au fur et à mesure que vous vous rapprocherez de vos objectifs, vous devrez réviser et améliorer votre plan. Cependant, ne visez pas une planification parfaite, les plans ne sont jamais exacts à 100 %. Visez un fonctionnement optimal plutôt que parfait. Débarrassez-vous de tout perfectionnisme déplacé et concentrez-vous plutôt sur la planification stratégique qui vous permettra de rehausser votre qualité de vie.

Il y a deux façons de planifier une démarche stratégique. Vous pouvez partir de votre situation de départ et identifier ce que vous devez faire pour atteindre vos objectifs en vous projetant dans le futur. Ou vous pouvez utiliser la méthode à rebours. Le point de départ est d'imaginer que vous avez déjà atteint vos objectifs, puis de procéder à rebours, vers le présent. Projetez-vous mentalement dans l'avenir, où vos objectifs seront devenus une réalité. Juché sur ce promontoire, contemplez le chemin parcouru et identifiez les étapes que vous avez franchies pour atteindre votre but. Pensez à ce qui a dû être réalisé à la fin de la deuxième année, puis à la fin de la première année. Vous savez maintenant ce qui doit être accompli chaque année pour atteindre vos objectifs de trois ans. Vous avez cerné des sous-objectifs annuels pour la troisième, la deuxième et la première année. Cela correspond au quatrième étage de la démarche stratégique.

Dressez à présent une liste de toutes les ressources dont vous disposez et qui pourraient vous être utiles pour atteindre vos objectifs sur trois ans. Dressez aussi une liste des ressources dont vous aurez besoin et dont vous devez bénéficier: livre, formateur, information, technologie, etc. Déterminez quels sont les groupes ou organisations qui vous seront nécessaires et établissez des alliances avec des personnes clés. Inscrivez dans votre planification les démarches que vous entreprendrez pour aller chercher les ressources adéquates. Ces démarches nécessitent du temps et il faut en tenir compte dans la planification stratégique et l'établissement de l'échéancier.

Pour que votre planification se traduise par des gestes concrets, vous devez maintenant ramener vos objectifs annuels en plus petites étapes encore, jusqu'à ce que vous sachiez ce que vous devez faire aujourd'hui pour atteindre vos objectifs. En vous projetant dans le futur ou en utilisant la méthode à rebours, identifiez des sous-objectifs pour chaque trimestre. Pensez à ce que vous devez avoir accompli à la fin du quatrième trimestre. Que faut-il que vous ayez accompli à la fin du troisième trimestre ? Et à la fin du second ? Et finalement, que devez-vous avoir fait à la fin du premier ? C'est là le concept fondamental de la planification stratégique. Vous avez créé une liste chronologique d'étapes à franchir qui vous permettront finalement de réaliser tous vos objectifs pour les trois prochaines années. Assurez-vous qu'ils sont échelonnés correctement.

Vous voilà déjà au cinquième stade de la démarche stratégique. Vous savez ce que vous devez avoir accompli à la fin du trimestre pour avancer vers vos objectifs à moyen terme (trois ans). La sixième étape de la démarche de planification consiste à écrire les actions qui vous permettront d'obtenir les résultats visés à la fin de ce trimestre. Écrivez avec suffisamment de détails pour que cela soit clair et concret. Dans certains cas, il peut être utile de fragmenter l'étape trimestrielle en sous-étapes mensuelles. Vous aurez alors une liste des actions à poser durant le mois. Cette liste mensuelle est utile si les actions à accomplir durant le trimestre diffèrent d'un mois à l'autre. Si, par exemple, vous avez pour objectif trimestriel de créer un site Internet, peut-être que votre planification inclut l'élaboration du contenu du site, la recherche et la sélection des consultants. Une liste mensuelle sera alors tout à fait indiquée. Par contre, si les actions à accomplir sont répétitives (par exemple écrire trois pages tous les jours), vous n'avez pas besoin d'une liste mensuelle.

À la huitième étape de planification stratégique, votre liste mensuelle (ou trimestrielle) est répartie en tâches hebdomadaires. Ainsi, chaque semaine, vous savez ce que vous devez accomplir pour vous rapprocher de vos objectifs. Vos tâches hebdomadaires sont ensuite réparties en actions quotidiennes. Vous pouvez alors inscrire vos tâches dans votre agenda. Certains voudront prévoir toutes les actions à entreprendre dans les moindres détails ; d'autres préféreront une planification plus souple. Il n'existe pas de règle absolue pour guider votre démarche. L'important est de viser la zone optimale en respectant vos préférences. Cependant, les tâches hebdomadaires doivent trouver une place dans votre agenda, sinon elles risquent de ne pas être accomplies.

Avec cette planification, des objectifs à moyen terme (trois ans) sont ramenés à un petit geste quotidien. Ce qui pouvait sembler inaccessible au début est maintenant réduit à une action simple, à la portée de tous. C'est ainsi

Illustration de la démarche stratégique

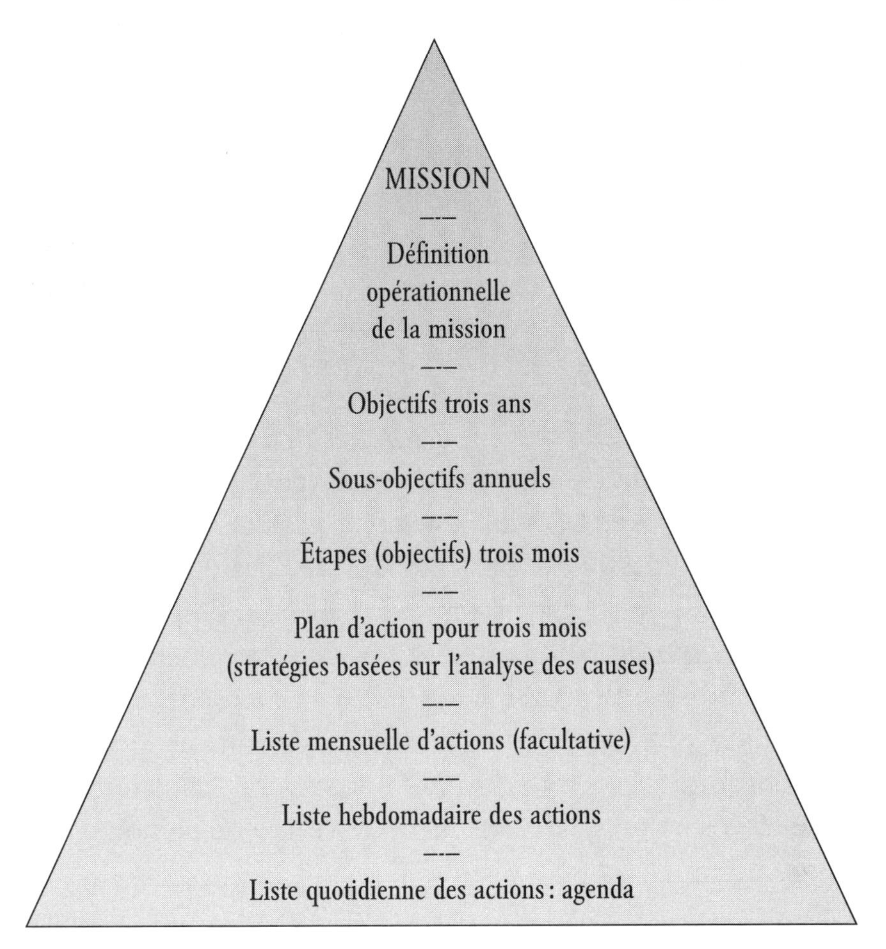

que de grandes choses peuvent être accomplies. Vous connaissez la blague : « Comment fait-on pour manger un éléphant ? On le mange une bouchée à la fois... » Et on gravit un escalier une marche à la fois. C'est toute la puissance de la planification stratégique qui s'exprime ici : tout objectif peut être décortiqué et réduit à une action quotidienne. Seule la durée de temps nécessaire varie. Un objectif ambitieux exige souvent plus de temps qu'un modeste objectif. Votre persévérance devient donc un facteur essentiel dans l'atteinte de vos objectifs. La gestion du temps est aussi un élément important. Dans le chapitre suivant, consacré à ce thème, vous apprendrez comment gérer votre temps en fonction de vos priorités, afin d'améliorer votre qualité de vie et d'atteindre vos objectifs.

Le temps d'agir

Vos préparatifs sont terminés. Il est maintenant temps d'agir. La meilleure planification ne vous dispense pas de fournir des efforts, bien au contraire ! En fait, la partie délicate commence. Il est possible que les actions planifiées produisent les résultats escomptés. Comme il est aussi possible et même probable que des imprévus viennent perturber votre planification. Vous allez également traverser différentes périodes, parfois euphoriques, parfois difficiles. L'important est d'assurer une progression constante en dosant vos efforts, afin de ne pas vous épuiser ou vous décourager.

Au début du processus qui doit vous mener à l'accomplissement de votre mission, l'enthousiasme peut vous pousser à mettre les bouchées doubles pour progresser plus rapidement. Accomplir votre mission est un marathon et non un *sprint*. Pour éviter un essoufflement rapide et la remise en question de vos objectifs, dosez vos efforts. Il est préférable de ralentir le rythme et de prendre du repos plutôt que de vous retrouver au point où fatigue et découragement vous pousseront à abandonner.

Il vous faudra adapter vos plans et modifier vos actions en fonction des résultats obtenus et des obstacles que vous aurez à franchir. La liste de vos objectifs hebdomadaires comporte des indicateurs qui définissent des résultats concrets à atteindre. À la fin de chaque semaine, prenez le temps d'évaluer votre progression. Le suivi est essentiel. Si vous êtes sur une mauvaise pente, mieux vaut vous en rendre compte et rectifier la situation rapidement. À l'aide de votre liste hebdomadaire, il est très facile d'évaluer régulièrement votre évolution en quelques minutes, et cela, à la fin de chaque semaine. Votre planification de la semaine suivante sera influencée par les résultats de votre évaluation. Une certaine flexibilité est essentielle pour vous aider à maintenir ou à modifier votre plan d'action selon les circonstances. Et le suivi vous permettra d'être plus conscient de votre évolution. Lorsque vous verrez les résultats s'accumuler d'étape en étape, alors vous verrez votre mission se réaliser sous vos yeux enthousiastes.

Pour beaucoup de gens, la définition d'objectifs opérationnels, la planification ainsi que l'ajustement des stratégies et surtout la persévérance dans l'action ne sont pas des activités faciles. Mais elles peuvent s'apprendre. La résistance au changement est cependant toujours prête à se manifester. C'est pourquoi il est nécessaire de prendre des moyens concrets pour vous maintenir sur la voie du succès. Et dans certains cas, il pourrait être intéressant de faire appel à une ressource externe et de travailler avec un coach. Un coach compétent vous permettra d'ailleurs d'atteindre vos objectifs plus rapidement et plus efficacement que si vous êtes seul. Et il vous évite de renoncer aux rêves qui vous habitent.

Car il vous faut être conscient que, malgré toute votre bonne volonté, et en dépit de la structure procurée par votre stratégie, votre progression sera parfois difficile. Il y aura des situations où rien ne fonctionnera comme vous l'aviez planifié. Vous pourrez alors douter, perdre confiance et avoir même envie de tout laisser tomber.

Ces périodes sont normales. Bien des gens se découragent et abandonnent. C'est là que vous devez choisir d'être un gagnant ou un perdant. Les gagnants sont simplement des gens qui ont surmonté ces périodes difficiles et ont persévéré malgré les obstacles. Pour y arriver, ils ont pris les moyens appropriés pour entretenir leur motivation.

La motivation est un phénomène complexe étudié par de nombreux chercheurs de différents domaines : psychologie, psychologie du sport, administration, sociologie. Elle comporte plusieurs facettes et composantes.

Dans un sens très large, la motivation peut être vue comme un moteur qui vous pousse à agir afin de combler vos besoins et vos désirs. La motivation a une composante intrinsèque et une composante extrinsèque. On parle de composante intrinsèque lorsque ce que vous voulez obtenir est intérieur à vous-même. L'impression de se réaliser, le plaisir et la satisfaction éprouvée lors de l'accomplissement d'une tâche sont des exemples de composantes intrinsèques de motivation. La composante extrinsèque de la motivation est associée à des renforcements externes tels que les gains, les récompenses et la reconnaissance. Votre besoin de les acquérir vous poussera à agir pour les obtenir. Les composantes intrinsèque et extrinsèque sont deux aspects essentiels et complémentaires de la motivation. Si vous les combinez adroitement, vous parviendrez à soutenir votre motivation tout au long du parcours vers l'atteinte de vos objectifs de vie.

Ainsi, il est important de rendre ce parcours agréable. Évitez la routine et son côté monotone. Vos objectifs risquent de vous apparaître moins intéressants et vous serez tenté de tout laisser tomber. Utilisez votre imagination pour varier l'exécution de vos tâches. Ce minime effort aura un impact positif sur votre motivation. Si une activité comporte des aspects difficiles ou des opérations fatigantes ou ennuyeuses, vous pouvez les accomplir en premier alors que vous êtes frais et dispos ou les répartir sur une plus longue période de temps. Il est très important que vous sachiez vous arrêter lorsque vous êtes fatigué. Vous épuiser n'est jamais profitable. Vous serez moins efficace par la suite et vous devrez corriger le travail accompli. Pour augmenter votre motivation, travaillez dans un environnement qui vous plaît. Choisissez un endroit propice à la réalisation des tâches que vous devez accomplir. Ici aussi, la variété est souhaitable : sortir de votre environnement habituel peut augmenter votre motivation. Ces détails en apparence anodins procurent du plaisir, une composante intrinsèque de la motivation.

En plus de vous rendre la vie agréable, apprenez à vous récompenser à chaque étape importante lorsque vous atteignez vos objectifs. Choisissez une récompense qui ait une signification positive réelle pour vous et constitue un événement spécial. Une sortie au cinéma pour quelqu'un qui y va régulièrement deux fois par semaine a peu d'attrait. Une récompense pour laquelle vous n'avez pas d'attirance aura peu d'impact sur votre motivation. Récompensez-vous pour vos habiletés, vos efforts, votre persistance et vos autres qualités, pas seulement pour le résultat final. La réflexion et la créativité permettront une utilisation efficace des récompenses. Veillez à les intégrer dans vos différents plans d'action et votre mécanisme de suivi. Ainsi, les récompenses auront un impact positif maximal.

Un autre moyen intéressant de soutenir votre motivation consiste à prendre des notes de tous vos progrès et de vos réalisations dans un cahier de succès. Inscrivez chaque joie, chaque réussite dans un domaine de votre vie dans ce joli cahier spécial. Lorsque vous aurez l'impression que tout va mal ou que vous n'êtes bon à rien, vous pourrez relire vos notes. Vous retrouverez espoir et serez capable d'attendre des jours meilleurs. Vous pouvez bien sûr lire votre cahier de succès les jours où tout va bien pour consolider votre confiance en vous. Et pourquoi ne pas aller encore plus loin ? Prenez le temps, chaque soir, d'identifier les petites choses qui ont amélioré votre quotidien et d'en remercier la vie. Il peut s'agir du soleil qui réchauffe, du sourire d'un enfant, d'une fleur sur le bord du trottoir, etc. Cela vous permettra aussi de prendre pleinement conscience que la vie est bonne envers vous. Il est facile de s'habituer au bonheur et de ne plus l'apprécier pleinement. Rafraîchissez-vous la mémoire de temps en temps afin de maintenir votre joie de vivre. Après tout, vous faites tous ces efforts pour être heureux, n'est-ce pas ?

Ce chapitre vous a présenté les outils pour planifier les actions nécessaires pour atteindre vos objectifs. Ces activités doivent être inscrites à l'agenda, au jour le jour. Pourtant, je suis certaine que vous vous demandez comment intégrer l'accomplissement de votre mission dans votre horaire déjà très chargé. C'est ce que nous abordons dans le prochain chapitre.

Règles de base à respecter pour se fixer des objectifs efficaces et motivants

- Vous devez d'abord assumer pleinement chaque objectif que vous vous fixez ainsi que les conséquences qui en découlent.
- Vos objectifs doivent être formulés de façon spécifique et précise.
- Choisissez des objectifs sur lesquels vous aurez un contrôle total et direct : il est démotivant de ne pas atteindre son but pour des raisons qu'on ne peut maîtriser.
- Chacun de vos objectifs doit être mesurable de façon à suivre vos progrès.
- Formulez vos objectifs de façon positive. Une expression positive favorise une pensée constructive et rend plus dynamique votre façon d'aborder les choses.
- Tout objectif devrait représenter un défi que vous aurez plaisir et satisfaction à relever. Il ne doit toutefois pas être hors d'atteinte ni irréaliste. Sachez doser vos expectatives.
- Déterminez d'avance quand vous devriez avoir atteint chacun de vos objectifs. Donnez-vous un délai raisonnable. Si celui-ci est trop court, vous créerez un effet de stress susceptible d'affecter et de limiter vos capacités de réussite. S'il est trop long,

vous perdrez de vue le but à atteindre : les résultats tarderont à se manifester et votre motivation s'en trouvera affaiblie. Si vous ne parvenez pas à atteindre vos objectifs dans les délais fixés, faites la correction de parcours qui s'impose.

➢ Prenez des moyens concrets et adéquats pour atteindre vos objectifs. Planifiez méthodiquement votre démarche opérationnelle.

➢ Établissez des priorités si vous visez plusieurs cibles à la fois.

➢ Finalement, suivez méticuleusement l'évolution de vos progrès car sans un suivi approprié, votre démarche risque de s'étioler avec le temps : vous laisserez tomber vos efforts, n'obtiendrez pas les résultats escomptés et perdrez la motivation indispensable au soutien de votre élan.

Résumé

La planification stratégique des actions permet de concrétiser votre rêve de vie. Le bilan de votre situation actuelle vous permet d'avoir un portrait de votre vie. Que cette prise de conscience soit agréable ou désagréable, elle est essentielle : vous pouvez changer ce dont vous êtes conscient.

Le bilan de votre situation actuelle et la formulation des objectifs à atteindre vous permettent de constater le chemin que vous avez à parcourir pour accomplir votre mission. Il s'agit maintenant de découper ce long parcours en petites étapes plus faciles à gérer. C'est là le but de la planification stratégique, illustrée à la page 195.

Il y a deux façons de planifier une démarche stratégique : en vous projetant dans le futur ou par la méthode à rebours. Planifiez vos actions pour une période de trois ans. Écrivez des objectifs à moyen terme qui soient clairs, précis, quantifiables et réalisables. Pour vous aider dans le choix de vos objectifs, répondez aux questions suivantes : « Est-ce que le fait d'atteindre ces objectifs me permettra de réaliser ma vision ? » « Est-ce que le fait de poursuivre ces objectifs sur trois ans représente la meilleure voie pour réaliser ma vision à long terme ? »

Pour que votre planification se traduise par des gestes concrets, vous devez maintenant ramener vos objectifs annuels en plus petites étapes encore, jusqu'à ce que vous sachiez ce que vous devez faire aujourd'hui pour atteindre vos objectifs. Ainsi, votre liste mensuelle (ou trimestrielle) est répartie en tâches hebdomadaires. Vos tâches hebdomadaires sont ensuite divisées en actions quotidiennes, inscrites dans votre agenda.

Avec cette planification, ce qui pouvait sembler inaccessible au début est maintenant réduit à une action quotidienne. La puissance de la planification stratégique permet d'accomplir simplement de grandes choses, seule la durée de temps nécessaire varie. L'important est d'assurer une progression constante et progressive en dosant vos efforts, afin de ne pas vous épuiser ou vous décourager. Une bonne gestion du temps devrait vous y aider.

Chapitre 9
Le facteur temps

Gérer son temps pour mieux gérer sa vie

Dans notre monde moderne, beaucoup de gens se plaignent du manque de temps. Le rythme de vie est très rapide et les gens courent continuellement. Aujourd'hui, dans nos sociétés dites civilisées, le vrai luxe, c'est d'avoir du temps pour faire ce qui nous plaît.

Il se vend actuellement des centaines de livres sur la gestion du temps, contenant des trucs pour éviter les pertes de temps, pour atteindre vos objectifs, etc. Plusieurs de ces ouvrages visent à augmenter votre efficacité personnelle, votre productivité, et mieux vous outiller pour atteindre vos objectifs. Ces livres valent la peine d'être consultés. Cependant, certaines méthodes de gestion du temps négligent un aspect important : il ne sert à rien d'accomplir plus de tâches dans une journée si celles-ci n'ont pas de sens ou ne contribuent pas à vous permettre d'atteindre vos buts et d'augmenter votre qualité de vie.

Je rencontre souvent des gens très performants qui accomplissent beaucoup de choses dans leur vie ; ils ne sont pas nécessairement heureux et se questionnent sur le sens de leur vie. Ils sont frustrés, malheureux, stressés, parfois en *burnout* ou en dépression. Ils sont déchirés entre les différentes demandes de leur entourage : « Comment être une travailleuse très performante et une bonne mère de famille en même temps ? Comment prendre soin de ma vie de couple et de moi en tant que personne ? » Ils remplissent leurs obligations, mais finissent par se poser des questions : « Pourquoi est-ce que je fais tout cela ? Est-ce que cela me rend heureux ? Quel est le sens de ma vie ? »

Vous aussi êtes sûrement capable d'accomplir beaucoup de choses dans une journée. Toutefois, faites-vous ce qui est vraiment important pour vous ? Comment choisissez-vous d'utiliser votre temps ?

Il y a deux principaux facteurs qui influencent la façon dont vous choisissez d'utiliser votre temps : l'urgence et l'importance. Aujourd'hui, les gens vivent beaucoup dans l'urgence : il faut se dépêcher pour respecter les délais, il faut aller mener les enfants à leurs activités et en profiter pour faire les courses, il faut se dépêcher de dîner et aller à la formation continue exigée par l'employeur, etc.

Voici quelques petites questions pour vous permettre de vérifier si vous vivez dans l'urgence :

➢ Est-ce que vous vivez beaucoup en vous disant : « Vite, il faut que… » ?

➢ Avez-vous l'impression de manquer de temps ?

- Avez-vous l'impression que vous ne profitez pas assez de votre vie ?

- Avez-vous l'impression d'un déséquilibre entre votre vie privée et votre vie professionnelle ? Avez-vous l'impression de prendre du temps de l'un pour l'autre ? Vous sentez-vous coupable ?

- Avez-vous le sentiment de consacrer suffisamment de temps aux choses vraiment importantes pour vous dans votre vie ?

Si vous avez répondu quatre oui et un non, vous vivez dans l'urgence. C'est ce qui arrive à beaucoup de gens. Parfois, ils ne sont ni heureux ni malheureux ; en fait, ils n'ont pas le temps de se questionner, ils courent. Puis, arrive un événement imprévu qui remet tout en question : le décès d'un être cher, une maladie, une perte d'emploi. Et les gens se questionnent alors : « Est-ce comme ça que je veux vivre pour le reste de mes jours ? »

L'urgence amène le stress et la fatigue. Votre vie passe sans que vous ayez le temps d'y goûter. Pour augmenter la qualité de vie, il faut au contraire vivre dans l'importance. Je vous suggère donc de troquer votre montre contre une boussole. Plutôt que de courir pour accomplir le plus de choses possible dans le moins de temps possible, je vous propose de réfléchir sur la direction à donner à votre vie. Il ne s'agit pas juste de gérer votre temps, mais bien de créer du temps de qualité. Cela veut dire consacrer du temps aux activités qui sont vraiment importantes pour vous. Une activité importante en est une qui vous rapproche de vos objectifs globaux et qui apporte richesse et sens à votre vie.

Il faut apprendre à établir des priorités, et éliminer les choses qui ne sont pas importantes pour vous.

En utilisant les deux facteurs de l'urgence et de l'importance, les activités humaines peuvent être classées en quatre catégories. Vous constaterez qu'on y retrouve, dans la classe I, des activités urgentes et importantes ; dans la classe II, des activités importantes mais non urgentes ; dans la classe III, des activités urgentes et non importantes ; et dans la classe IV, des activités non urgentes et non importantes.

La grille d'analyse des activités

	URGENT	NON URGENT
IMPORTANT	**Classe I : les urgences** Urgent et important	**Classe II : les priorités qui améliorent la qualité de vie** Important et non urgent
NON IMPORTANT	**Classe III : les fausses priorités** Urgent et non important	**Classe IV : les pertes de temps** Non urgent et non important

La classe I regroupe les activités urgentes et importantes. Celles-ci exigent du temps car il s'agit ici de mettre à profit votre expérience et votre faculté de jugement en réagissant à de nombreux besoins et défis. Beaucoup de vos activités font partie de cette classe. Comme il est impossible de tout prévoir et de tout planifier, certains imprévus entrent dans cette classe. Il s'agit d'activités qui exigent une attention immédiate telles que calmer un client irrité, consoler un enfant qui pleure, subir une chirurgie, respecter un délai, etc. Cependant, certaines activités entrent dans cette classe parce que les mesures de prévention ou de planification nécessaires n'ont pas été prises. Les procrastinateurs agissent souvent lorsqu'une activité devient urgente, alors qu'une planification et surtout une action auraient permis d'éviter le stress qui accompagne toute urgence.

La classe II regroupe les activités importantes mais non urgentes, c'est-à-dire les actions qui correspondent à ce qui est vraiment important pour vous, mais ne demandent pas une action immédiate. C'est la classe de la qualité de vie. Lorsque vous anticipez et prévenez les problèmes, vous pratiquez des activités de la classe II. Ainsi, lorsque vous faites de l'exercice pour être en forme au lieu d'attendre d'être malade pour vous soigner, vous êtes dans la classe II. Lorsque vous élargissez votre esprit et augmentez vos compétences par la lecture et un développement continu, que vous percevez comment vous allez aider un enfant en difficulté, que vous vous préparez à une réunion ou à un exposé important ou encore que vous investissez dans une relation en adoptant une écoute profonde et sincère, vous pratiquez des activités de la classe II. Plus vous consacrez de temps à cette classe, plus vous augmentez votre capacité à agir.

Ignorer cette classe, c'est surcharger la classe I et générer des tensions, brûler vos cartouches et celles des autres, provoquer des crises profondes chez les personnes touchées. En revanche, un investissement dans la classe II soulage la classe I. Un travail de planification et de prévention empêchera dans bien des cas qu'une situation ne devienne urgente.

La classe III, c'est le fantôme de la classe I. Elle regroupe les choses urgentes mais pas importantes. L'agitation de l'urgence crée un faux-semblant d'importance et les activités entreprises, si elles sont vraiment importantes, ne profitent qu'à autrui. Vous passez probablement beaucoup de temps dans cette classe à satisfaire les priorités et les attentes des autres, en pensant vous situer dans la classe I. C'est celle dont il faut se méfier. Elle nécessite beaucoup de temps et ne correspond pas à ce qui est vraiment important pour vous. Les gens qui ont de la difficulté à dire non quand on leur fait une demande passent beaucoup de temps dans cette classe.

La classe IV contient les activités qui ne sont ni urgentes ni importantes. C'est la classe du gaspillage de temps, celle qui ne devrait rien contenir. Mais parfois, les gens sont si essoufflés par leur vie, si épuisés par la bataille quotidienne qu'ils se sauvent ici. Il ne faut pas confondre le repos ou les loisirs avec les pertes de temps. Les activités qui servent vraiment à se reposer et à se ressourcer entrent dans la classe II. Alors que certaines d'entre elles servent juste à passer le temps, en vous donnant l'impression de vous reposer, mais elles ne vous nourrissent pas vraiment. Ce sont ces pertes de temps qu'il faut éliminer afin d'avoir plus de temps de qualité et ainsi arriver à donner un sens à votre vie. Comment vous sentiriez-vous si vous passiez la journée à faire un jeu de cartes solitaire ? Vous sentiriez-vous enrichi d'une quelconque façon ? Auriez-vous l'impression que votre journée avait de la valeur ? On pourrait penser que les gens n'ont pas le temps aujourd'hui de faire des activités de la classe IV. Et pourtant, plusieurs d'entre eux perdent leur temps, devant le téléviseur par exemple.

Le tableau suivant illustre les types d'activités que l'on peut retrouver dans chacune des classes.

La classe II n'exerce pas d'action sur vous : c'est vous qui décidez quelles activités y seront inscrites selon vos priorités. C'est la classe du leadership personnel. C'est en grande partie ici que vous créez votre vie. Les classes I et III sont celles qui agissent sur vous. Ce sont les classes des demandes, des besoins et des défis qui commandent que vous agissiez.

La plupart des gens essoufflés passent l'essentiel de leur temps dans les classes I et III. Ils sont souvent en situation d'urgence. Et ils ne peuvent consacrer suffisamment de temps aux choses importantes de leur vie.

Il faut donc tenter de passer de l'urgence à l'importance. Pour cela, il faut identifier quelles sont vos priorités.

Les priorités sont liées à vos besoins. Si vos besoins fondamentaux ne sont pas comblés, il y a insatisfaction, déséquilibre et malaise dans votre vie. Les principaux besoins, tels qu'ils sont identifiés dans la typologie inspirée de la hiérarchie pyramidale de Maslow, peuvent être divisés en quatre grandes catégories. Ces besoins sont :

- ➢ Physiques : nourriture, vêtements, abri, besoins financiers, santé ;

La grille d'analyse des activités

	URGENT	PAS URGENT
IMPORTANT	**Classe I : les urgences** • Crises • Problèmes pressants • Projets, réunions, préparation avec dates butoirs *À diminuer*	**Classe II : les priorités** • Préparation • Prévention • Clarification des valeurs • Planification • Construction de relations • Véritable « re-création » *Améliore la qualité de vie*
NON IMPORTANT	**Classe III : les fausses priorités** • Interruptions, certains coups de téléphone • Une partie du courrier et des rapports • Certaines réunions • Beaucoup d'activités pressantes à faire immédiatement • Beaucoup d'activités pour les autres *À surveiller attentivement et à diminuer*	**Classe IV : les pertes de temps** • Futilités, esbroufe • Courrier superflu • Certains coups de téléphone • Échappatoires *À éliminer totalement*

- Sociaux : entretenir des relations avec les autres, besoin d'appartenance, d'amour, d'estime, de reconnaissance ;
- Intellectuels : besoin de vous développer et de progresser ;
- Spirituels : recherche du sens de votre vie, de ses objectifs, d'une cohérence intérieure et du désir d'être utile (afin de laisser une trace de votre passage).

Chacun de ces besoins est essentiel. Si l'un d'eux n'est pas comblé, votre qualité de vie est diminuée. Et un besoin non satisfait peut devenir un trou noir qui dévore toute votre énergie et mobilise toute votre attention. Il peut vous entraîner dans le cercle vicieux de l'urgence.

Ces besoins sont réels, profonds et liés entre eux. Il existe une formidable synergie entre eux. Lorsqu'ils se conjuguent, vous accédez à un degré élevé d'équilibre intérieur, de réalisation profonde de soi.

En clinique, je rencontre parfois des gens malheureux dans leur travail. Malgré un salaire intéressant qui leur permet de combler leurs besoins physiques, les tâches qu'ils doivent effectuer les ennuient et ne leur donnent pas l'occasion de se développer, de se réaliser pleinement.

L'idéal est donc un emploi qui permet de combler les besoins physiques et aussi les besoins intellectuels, sociaux et spirituels. Pouvez-vous imaginer votre qualité de vie si vous aviez un tel emploi ? Bien sûr, il s'agit d'un idéal, mais est-il vraiment inaccessible ? Ce n'est pas seulement une question d'emploi, mais surtout une question d'attitude. Satisfaire les quatre types de besoins d'une manière intégrée, c'est comme combiner entre eux des éléments chimiques qui vont provoquer une explosion de synergie en vous. Cela allume votre feu intérieur et vous procure une vision claire de votre existence, vous rend passionné et prêt pour l'aventure.

Il est donc important de combler ces besoins, mais il est tout aussi important de trouver la manière de le faire. Votre capacité à créer « de la qualité de vie » est fonction du degré avec lequel vous savez conformer votre vie aux réalités extérieures lorsque vous cherchez à satisfaire vos besoins élémentaires. L'efficacité d'une personne et la qualité de ses interactions humaines dépendent du respect de certains principes universels. Ceux-ci peuvent vous servir de guide pour vous aider à faire des choix importants. Il ne s'agit pas de valeurs, de procédés particuliers ou de religion, mais plutôt de certains principes présents dans la nature, comme la loi de cause à effet, déjà mentionnée. Un autre principe universel peut s'énoncer ainsi : vous récoltez ce que vous semez. Il n'y a pas de raccourci possible si vous voulez une récolte de qualité. Ce principe s'applique évidemment en agriculture : il est impossible d'avoir une récolte abondante en automne si vous avez oublié de semer au printemps et paressé tout l'été. Le principe s'applique aussi dans tous les domaines de la vie. Il est impossible d'avoir une relation amoureuse de qualité, stable et de longue durée, sans investir du temps dans la relation et en conservant vos habitudes de célibataire... Il est impossible d'élever des enfants pour en faire des adultes autonomes et responsables sans leur consacrer du temps. Pensez aussi à la confiance que vous accorderiez à un médecin, avocat, psychologue, plombier, mécanicien, etc., qui a étudié la veille des examens sans se donner la peine d'apprendre vraiment la matière. De toutes façons, son incompétence apparaîtra très vite. Faire de l'exercice et manger sainement la veille d'une prise de sang ne fera pas baisser votre taux de cholestérol ou débloquer vos artères. Il est donc important de semer si vous souhaitez récolter, c'est-à-dire d'accomplir des activités de classe II pour en retirer les avantages.

Pour combler vos besoins de façon efficace, durable et harmonieuse, vous devez respecter les principes universels. Ils vous servent de boussole dans la direction que vous donnerez à votre vie. Ils vous permettent de faire de bons choix. L'être humain a certaines capacités qu'il peut utiliser pour faire des choix au lieu de réagir simplement au stimulus de l'environnement. Ces capacités sont :

- La conscience de soi ;
- La conscience morale ;
- La volonté indépendante ;
- L'imagination créative.

La conscience de soi est la capacité de prendre du recul par rapport à vous-même et d'examiner vos pensées, vos motivations, votre histoire, votre programmation, vos actions, vos habitudes et vos tendances. Elle vous aide à décrypter votre histoire sociale et psychique et à agrandir l'intervalle entre le stimulus et la réaction.

La conscience morale vous lie à la sagesse de tous les temps et à celle du cœur. Elle est votre système de guidage intérieur qui vous permet de sentir quand vous agissez ou même pensez agir d'une manière contraire aux principes. Elle vous donne aussi la capacité de percevoir le caractère unique de vos talents et de votre mission.

La volonté indépendante, c'est votre capacité d'agir. Elle vous accorde le pouvoir de transcender vos paradigmes, de nager à contre-courant, de récrire vos scénarios, d'agir sur la base de vos principes plutôt que de réagir à vos émotions ou aux circonstances. Les influences de l'environnement ou de votre hérédité peuvent être très fortes, mais vous pouvez les surmonter. Vous n'êtes pas des victimes ou le produit de votre passé. Vous êtes responsable de vos choix et capable, dans la plupart des cas, de réagir et de choisir sans être influencé par votre humeur et vos tendances.

L'imagination créative, c'est la capacité de se représenter un état futur, de créer une vision dans votre esprit et de résoudre les problèmes en synergie. C'est la faculté qui vous aide à vous voir tel que vous voulez devenir. Grâce à elle, vous pouvez rédiger la définition de votre mission personnelle, vous fixer un but ou planifier une réunion. Elle vous permet aussi de vous visualiser en train d'accomplir la mission que vous avez définie, même dans les situations les plus difficiles, et d'appliquer vos principes avec efficacité dans des situations nouvelles.

Tous les êtres humains possèdent ces capacités, à divers degrés, et il est possible de les développer encore plus.

- ➢ Tenir un journal de bord ;
- ➢ Prendre le temps de réfléchir et d'écouter sa voix intérieure ;
- ➢ Faire des promesses et les tenir ;
- ➢ Faire de la visualisation.

Ce sont autant de moyens à la portée de tous pour développer chacune des ces capacités.

Combler vos besoins fondamentaux en respectant les principes universels est un des éléments requis pour augmenter votre qualité de vie plutôt que votre efficacité. Il s'agit maintenant de reconnaître ce qui est important pour vous. Vous aurez ainsi une vision claire de vos priorités. Ensuite, vous pourrez traduire concrètement vos choix de vie dans vos activités quotidiennes en les inscrivant dans votre emploi du temps.

Je vous présente une méthode en six étapes pour vous permettre d'inscrire vos priorités dans votre emploi du temps. Cette méthode demande des efforts : après tout, il n'y a pas de beau jardin sans jardinier. Mais lorsque le système est en place, il nécessite environ une demi-heure par semaine. Et si vous me racontez que vous n'avez pas le temps, je vous réponds que vous n'avez pas le temps de gaspiller votre vie non plus.

Comme pour tout système de gestion du temps, il faut un outil de planification. Vous pouvez utiliser les outils papier ou informatique que vous préférez ; je recommande cependant un format hebdomadaire qui vous permet de situer chacune de vos actions dans le contexte plus global de votre semaine afin d'avoir un point de vue plus large. Un point de vue limité ne permet pas de voir plus loin que le bout de son nez. L'urgence et la productivité risquent alors de prendre le pas sur l'importance et l'efficacité.

Vous trouverez un exemple de fiche hebdomadaire à la fin de la description des six étapes (voir à la page 227). Vous pouvez vous en servir durant le processus en six étapes pour identifier ce qui est important pour vous. Ce modèle est pratique pour y inscrire les objectifs et activités qui vous permettront d'augmenter votre qualité de vie.

1re étape : Entrer en contact avec sa vision et sa mission

Il s'agit d'entrer en contact avec ce qui est globalement le plus important dans votre vie. Ayez une vue d'ensemble de ce qui vous tient à cœur et donne du sens à votre vie. La réussite dépend de la clarté de votre vision. Les questions suivantes peuvent vous aider dans votre réflexion :

- Qu'est-ce qui est le plus important pour vous ?
- Qu'est-ce qui donne un sens à votre vie ?
- Qui voulez-vous être et que voulez-vous faire ?

Prenez le temps de répondre à ces questions par écrit car les réponses influencent tout le reste : les objectifs que vous vous fixez, les décisions que vous prenez, les croyances que vous entretenez, la manière dont vous gérez votre temps. Cette étape est fondamentale : pourquoi programmer des activités et des rendez-vous qui ne sont pas dans la ligne de votre objectif? Entrer en contact avec votre mission personnelle est fondamental si vous voulez mettre en application le principe d'importance. Son influence sur la suite du déroulement du processus est considérable. Au besoin, reportez-vous au chapitre 6, qui décrit plus en détail ce qu'est une mission personnelle et comment la découvrir.

2e étape : Identifier ses rôles

Votre vie est faite de rôles, c'est-à-dire que vous remplissez des fonctions que vous avez choisies. Ainsi, vous avez un rôle à jouer au sein de votre famille, à votre travail, etc. Ces rôles représentent des responsabilités, des relations et des domaines d'intervention.

Souvent, le malaise vient du fait que vous réussissez dans un de ces rôles aux dépens d'un autre, peut-être plus important. Pensez au tiraillement que vous ressentez peut-être entre votre travail et votre famille.

Un ensemble de rôles clairement définis procure un cadre naturel, dans lequel peuvent s'instaurer l'ordre et l'équilibre. Si vous avez écrit votre mission, vos rôles en découleront. Équilibrer vos rôles ne signifie pas seulement consacrer du temps à chacun d'eux. Cela implique que leur combinaison tend vers l'accomplissement de votre mission.

Il n'y a pas de recette toute faite : deux personnes ayant pratiquement les mêmes activités définiront peut-être leurs rôles de manière différente. En outre, ceux-ci changeront sans doute au cours des années.

Certains secteurs de vie peuvent mettre en jeu plusieurs rôles. Ainsi, dans la famille, vous pouvez vous définir comme membre de la famille ou diviser votre rôle en parent et conjoint. Dans votre travail, vous pouvez avoir plusieurs rôles : administration, gestion du personnel, planification, exécution, etc. Vous pouvez aussi définir un rôle qui exprime votre épanouissement personnel.

Ne définissez pas plus de sept rôles au maximum. Il semble que l'efficacité intellectuelle diminue lorsqu'une personne gère plus de sept catégories.

Identifier vos rôles permet de définir la qualité de vie dans sa globalité : votre vie ne se limite pas à un emploi, à une famille ou à une relation donnée. C'est tout cela à la fois. Identifier vos rôles peut aussi mettre en lumière des domaines importants, mais non urgents, actuellement négligés.

Vous remarquerez aussi en haut, à gauche (dans l'exemple du tableau, à la page 227), un rôle appelé « prendre soin de moi », avec les quatre catégories de besoins : physique, social, intellectuel et spirituel. Ce rôle est essentiel dans la réussite de tous les autres. Il s'agit de prendre soin de vous afin, justement, d'être capable d'accomplir les activités exigées par les autres rôles. Si vous négligez votre physique, si vous ne prenez pas le temps de consolider vos relations affectives essentielles, si vous ne vous tenez pas à jour dans vos connaissances et si vous ne savez pas clairement ce qui a un sens dans votre vie, il y aura tôt ou tard un déséquilibre et vous ne serez pas en mesure de remplir efficacement les autres rôles de votre vie. Passez une heure par jour à prendre soin de vous et à combler vos besoins essentiels afin d'être capable de réaliser vos autres objectifs.

3e étape : Pour chaque rôle, se fixer des objectifs appartenant à la classe II

Lorsque vous avez terminé l'identification de tous vos rôles, posez-vous la question suivante :

- Pour chaque rôle, quel est mon objectif ?
- Pour chaque objectif, quelle est l'action la plus importante que je puisse accomplir cette semaine et qui aura un impact positif considérable ?

Pour y répondre, consultez votre tête et surtout la sagesse de votre cœur. En envisageant vos activités les plus importantes dans chacun de vos rôles, commencez à utiliser votre boussole plutôt que votre montre. Écoutez la voix de votre conscience. Concentrez-vous sur l'important plutôt que sur l'urgent.

Limitez-vous pour l'instant à un ou deux objectifs pour chaque rôle, ceux qui vous paraissent les plus importants. Il est possible aussi que votre boussole intérieure vous indique de ne pas vous fixer d'objectif pour l'un de ces rôles. Le processus permet une telle flexibilité et vous encourage à vous servir de votre boussole pour déterminer ce qui constitue la tâche la plus importante.

Inscrivez vos réponses dans les colonnes « Objectifs » et « Activités » de la fiche hebdomadaire. Les actions que vous avez identifiées sont des activités de classe II. Elles sont importantes car elles vous rapprochent de vos objectifs et améliorent la qualité de votre vie.

4e étape : Mettre en œuvre un cadre hebdomadaire d'aide à la prise de décision

La clé, ici, n'est pas de classer par priorités le contenu de votre emploi du temps, mais plutôt de donner un emploi du temps à vos priorités. Si ce que vous faites n'est pas le plus important, quelle importance cela a-t-il que vous y consacriez autant de temps ? Prenez l'exemple suivant.

Un conférencier veut illustrer le principe de la gestion du temps. Il prend un bocal et de grosses pierres et demande à l'assistance combien de pierres peuvent entrer dans le bocal. L'assistance devine et ensuite, le conférencier emplit le bocal de grosses pierres. Il demande à l'assistance si le bocal est plein. Elle répond oui. Le conférencier prend un sac de petites roches et le verse dans le bocal. Les petites roches emplissent les espaces entres les grosses pierres. Il sourit et demande si le bocal est plein. L'assistance a compris et répond non. Le conférencier prend un sac de sable, et le vide dans le bocal. Même question, même réponse. Il verse ensuite de l'eau dans le bocal. Cette fois, le bocal est plein. Ensuite, il demande quelle conclusion tirer de sa démonstration. L'assistance répond qu'il y a toujours de petits espaces dans un horaire et qu'il est toujours possible d'y faire entrer plus d'activités. « Non, dit le conférencier, la conclusion est qu'il faut mettre les grosses pierres en premier, sinon il sera impossible d'en faire entrer une seule par la suite. »

Les activités de la classe II sont comme les grosses pierres : il faut les inscrire en premier dans votre agenda sinon vous ne parviendrez plus à les entrer dans votre horaire. Ensuite, vous pourrez introduire une quantité incroyable d'activités. Mettez en place vos activités de classe II dans votre fiche hebdomadaire. Vous pouvez les inscrire dans l'espace en bas de chaque journée. Le rendez-vous spécifique est ce qu'il y a de plus efficace. Si vous trouvez que les objectifs définis pour chaque rôle sont importants, prenez rendez-vous avec vous-même pour travailler à leur réalisation. Et si vous devez absolument déplacer ce rendez-vous, fixez-lui immédiatement un nouvel horaire. Traitez vos rendez-vous avec vous-même avec autant de considération que n'importe quel autre. Planifiez votre temps en fonction de ces rendez-vous. Inscrivez vos autres activités dans d'autres cases horaires.

Dans certains cas, il est préférable d'indiquer votre activité de classe II dans la section au bas de la journée. Si, par exemple, vous avez inscrit *Améliorer la relation avec mon enfant*, vous ne pouvez pas savoir à quel moment l'occasion se présentera. Alors, inscrivez-le en bas d'une journée et reportez-le les autres jours si l'occasion ne s'est pas présentée durant la journée. Et si votre enfant a envie de vous parler mercredi, pendant que vous lisez le journal, vous serez plus motivé à repousser votre journal plutôt que votre enfant.

Programmer les activités importantes de classe II constitue un grand pas en avant si vous voulez donner la priorité aux priorités de votre vie. Si vous n'inscrivez pas les activités de classe II en premier, la semaine risque d'être remplie par la multitude d'activités des classes I et III qui réclament en permanence votre attention. Il est alors difficile d'inclure les activités de classe II, pourtant essentielles à votre qualité de vie.

Lorsque les « grosses pierres » de classe II sont en place, il est facile d'ajouter d'autres activités. Il est rentable d'examiner attentivement chaque activité et de déterminer à quelle classe elle appartient vraiment. Cette tâche paraît urgente : l'est-elle vraiment ? Ou et-ce une impression provoquée par la pression extérieure ? Cette tâche est-elle vraiment importante ? Ou est-ce le sentiment d'urgence qui la fait paraître si importante ?

Quand vous accordez du temps aux activités de classe II, cela se répercute de manière significative sur le temps que vous passez dans les autres classes. En consacrant du temps à planifier, à échafauder des projets, à construire des relations, à profiter de loisirs de qualité, vous gaspillez beaucoup moins de temps à recoller les morceaux dans la classe I ou à répondre aux urgences des autres dans la classe III. L'idéal est de tendre à éliminer de votre emploi du temps les activités de classes III et IV.

Il essentiel de laisser des plages horaires libres dans votre emploi du temps. Les spécialistes recommandent de ne pas planifier plus de 70 % de votre temps. Cela vous donne la flexibilité nécessaire pour faire face aux imprévus sans stress excessif et profiter des occasions qui se présentent. La fiche hebdomadaire vous donne un exemple de planification par priorités.

Fiche hebdomadaire pour donner la priorité aux priorités

Exemple de mes rôles et de mon emploi du temps

	RÔLES	OBJECTIFS	ACTIVITÉS		Lundi	Mardi	Mercredi	Jeudi	Vendredi	Samedi	Dimanche
Prendre soin de moi	Physique Social Intellectuel Spirituel	Rester en forme Stimuler (Contact avec l'Être)	Marcher 3 fois/sem. Lire Méditer	6 h 7 h	Méditer	Méditer	Méditer	Méditer	Méditer	Méditer	Méditer
Rôle 1	Mère	Soutenir mon développement	Aider aux devoirs enfant dans son Être disponible	8 h 9 h	Inscription formation	Entrevues avec clients	Entrevues avec clients	Entrevues avec clients	Entrevues avec clients	Tâches ménagères et courses	
Rôle 2	Amie	Entretenir la relation avec mes amis	Les appeler au moins une fois par semaine	10 h 11 h	Entrevues avec clients						
Rôle 3	Psychologue	Garder mes compétences à jour	M'inscrire à un programme de formation	12 h 13 h	Repas Marche	Repas	Repas Marche	Repas	Repas Marche	Repas Écriture	
Rôle 4	Coach de vie	Transmettre des outils à beaucoup de gens	Écrire un chapitre de mon livre	14 h 15 h	Entrevues avec clients	Entrevues avec clients	Entrevues avec clients	Entrevues avec clients	Entrevues avec clients	chapitre du livre	
Rôle 5				16 h							
				17 h 18 h	Repas en famille	Repas en famille	Repas en famille	Repas en famille	Repas en famille	Repas en famille	Repas en famille
Rôle 6				19 h	Devoirs	Devoirs	Devoirs	Devoirs	Devoirs		
Rôle 7				20 h			Appels aux amis				
				21 h	Lecture				Lecture		
	Autres priorités				Améliorer la relation avec mon enfant						

5e étape : Pratiquer la cohérence intérieure à l'instant du choix

Lorsque les activités importantes de classe II sont mises en place pour la semaine, le défi est de continuer chaque jour à donner la priorité aux priorités, même lorsque surgissent les imprévus. Il est facile de reporter ou d'annuler une activité de classe II lorsqu'une personne de l'entourage fait une demande. Au début, il vous sera difficile de faire un choix qui respecte vos priorités. Vous devez apprendre à dire non et il est possible que vous vous sentiez coupable les premières fois. La culpabilité diminuera un peu chaque fois que vous respecterez les choix que vous avez faits. Ainsi, vous développerez votre cohérence intérieure.

Pour vous aider à développer votre cohérence intérieure, visionnez à l'avance votre journée. Cela vous permet de consulter votre boussole, d'examiner la journée à venir dans le contexte de la semaine, de dynamiser la façon dont vous allez considérer ces activités et de donner un sens à vos réactions devant les occasions et les défis imprévus.

La clé est votre capacité à faire la différence entre ce qui est important et ce qui est urgent. La fiche hebdomadaire vous aide en vous rappelant ce qui est important. Lorsque la situation évolue, vous pouvez faire une pause et vous mettre en contact avec votre boussole intérieure afin de décider du meilleur usage de votre temps et de votre énergie. Quand l'imprévu se révèle moins important, la fiche hebdomadaire vous donne la perspective et la détermination dont vous avez besoin afin de suivre le programme que vous vous étiez tracé. Quand, par contre, l'imprévu se révèle plus important, cette même fiche hebdomadaire vous permet de vous adapter et de modifier vos plans en sachant que vous agissez en fonction de ce qui est réellement important, et que vous ne vous contentez pas de réagir devant l'urgence.

6e étape : Évaluation et ajustement

Ce processus de gestion par priorités est incomplet si vous n'utilisez pas l'expérience d'une semaine pour augmenter l'efficacité de la suivante. Il faut tirer des leçons de la vie pour éviter de refaire les mêmes erreurs et de vous débattre dans les mêmes problèmes semaine après semaine.

À la fin de la semaine, avant de réexaminer votre mission pour organiser la semaine suivante, faites une pause et posez-vous ces questions :

- Quels objectifs ai-je atteints ?
- À quels défis ai-je dû faire face ?
- Quelles décisions ai-je prises ?
- Ai-je donné la priorité aux priorités en prenant mes décisions ?

Tirez les leçons de vos réponses et tenez-en compte dans l'organisation de la semaine suivante.

Résumé

La grille d'analyse des activités et la fiche de planification hebdomadaire sont des outils de gestion du temps qui s'appuient sur l'importance. Leur impact dépasse la gestion du temps et vise à modifier votre philosophie de vie. Quand vous commencerez à penser plus souvent en termes d'importance, vous commencerez à considérer le temps différemment. Vous aurez le pouvoir de donner clairement la priorité aux priorités dans votre vie. Vous ne chercherez plus à faire le plus de choses possible dans le moins de temps possible afin de gagner du temps, les yeux braqués sur votre montre. Vous développerez la capacité de diriger votre vie grâce à votre boussole intérieure, en respectant les principes universels. Vous augmenterez ainsi la qualité de votre vie.

Ces outils s'utilisent dans un processus de gestion du temps en six étapes, ce qui permet de donner la priorité aux priorités dans votre horaire afin de vous créer une vie en accord avec votre mission personnelle.

1re étape : Entrer en contact avec sa vision et sa mission.

2e étape : Identifier ses rôles.

3e étape : Pour chaque rôle, se fixer des objectifs appartenant à la classe II.

4e étape : Mettre en œuvre un cadre hebdomadaire d'aide à la prise de décision.

5e étape : Pratiquer la cohérence intérieure à l'instant du choix.

6e étape : Évaluation et ajustement.

Conclusion

Vous et moi avons fait ensemble un parcours particulier. Et maintenant, nous allons nous dire au revoir. J'ai essayé, à travers ces pages, de vous présenter, quoique trop brièvement, l'ensemble des outils nécessaires pour vous permettre de développer et de maîtriser ce merveilleux pouvoir que vous avez, *le pouvoir de créer votre vie.* Je souhaite vraiment que cette synthèse vous aide à identifier les outils dont vous avez besoin pour augmenter la qualité de votre vie et, par conséquent, pour être plus heureux.

Et je veux aussi vous remercier d'être là. Vous me donnez l'occasion de franchir une étape dans l'accomplissement de ma mission personnelle. Vous êtes des cocréateurs merveilleux. C'est un privilège pour moi de partager ce bout de chemin avec vous. J'espère bien que nos voies se recroiseront un jour, à l'occasion d'un prochain livre, lors d'un séminaire que j'animerai ou peut-être tout simplement dans la rue. Et j'espère qu'à ce moment-là, vous aurez déjà commencé à utiliser votre pouvoir de créer votre vie.

Bibliographie

CLUDNEY, Milton R. & HARDY, Robert E. *Choisir le succès Comment sortir de la spirale de l'échec*, Saint-Jean de Braye, Éditions Dangles, 1994.

COVEY, Stephen R. *et al. Priorité aux priorités*, Paris, Éditions First, 1994.

GARNEAU, Jean. « Fidèle à moi-même », Tiré de *La lettre du psy*, vol. 1, nº 4, décembre 1997.

GARNEAU, Jean. « La confiance en soi », Tiré de *La lettre du psy*, vol. 3, nº 2, février 1999.

GUNTHER, Max. *Le facteur CHANCE*, Montréal, Éditions de l'homme, 1977.

LARIVEY, Michelle. « L'estime de soi », Tiré de *La lettre du psy*, vol. 6, nº 3c, mars 2002.

LARIVEY, Michelle. « Comment développer l'estime de soi », Tiré de *La lettre du psy*, vol. 6, nº 4, avril 2001.

MILLMAN, Dan. *Les 12 lois de l'esprit,* Montréal, Éditions du Roseau, 1996.

MONBOURQUETTE, Jean. *À chacun sa mission : Découvrir son projet de vie*, Mont-Royal, Novalis, 1999.

MONBOURQUETTE, Jean. *Aimer, perdre et grandir*, St-Jean-sur-Richelieu, Éditions du Richelieu, 1983.

NEWBERRY, Tommy. *Le succès n'est pas le fruit du hasard : Changez vos choix, changez votre vie*, Saint-Hubert, Un monde différent, 1999.

ROBBINS, Anthony. *De la part d'un ami*, Saint-Hubert, Un monde différent, 1996.

ROBBINS, Anthony. *L'éveil de votre puissance intérieure*, Montréal, Éditions Le Jour, 1993.

SARRAZIN, Claude. *Le vrai visage de la réussite: La psychologie des gagnants*, Montréal, Éditions Méridien Psychologie, 1999.

THIBODEAU, Richard. *Votre vie... reflet de vos croyances*, Montréal, Éditions Quebecor, 1996.

WISEMAN, Richard. *Notre capital chance: Apprendre à l'évaluer et à le développer*, Paris, Éditions JC Lattès, 2003.

Table des matières

Deuxième partie
LA DÉMARCHE STRATÉGIQUE